STOCKHOLM

CLB 1649
© 1986 Illustrations and text: Colour Library Books Ltd.,
    Guildford, Surrey, England.
Printed and bound in Barcelona, Spain by Cronion, S.A.
All rights reserved.
ISBN 0 86283 502 X
Dep. Leg. B-35.395-86

STOCKHOLM

Text by
Ivor Matanle

COLOUR LIBRARY BOOKS

Stockholm – the Island City

1 "The City that Floats on Water" (Selma Lagerlöf)

Stockholm has frequently been called one of the most beautiful cities in the world – a statement which is difficult to refute, for there can be no doubt that Sweden's capital is easy on the eye. Begun more than seven hundred years ago on the island upon which now stands Gamla Stan, the picturesque Old Town, Stockholm has been Sweden's capital since 1634 and is a remarkably individual city. It straddles fourteen separate islands, and abounds with spectacular vistas of water and open parkland where one least expects them. Magnificently placed at the point where one of Sweden's great inland lakes, Lake Mälaren, reaches the Baltic Sea, Stockholm has more than forty bridges to span the waterways between its islands.

Almost three-quarters of a million people live within Stockholm itself and as many again live in the suburbs of Greater Stockholm, but as recently as the year 1900 there were few more than 100,000 inhabitants. The dramatic growth of Stockholm in the twentieth century has been in part a result of the industrialisation of what had formerly been an agricultural society. When the twentieth century began, more than sixty per cent of Sweden's population earned its living from agriculture. Now, as the century draws to its close, only five per cent work on the land, and the population has shifted to the centres of industry. These rapid changes are reflected in the buildings of Stockholm and in the city's character. Despite having one of the most interesting and picturesque old towns in Europe, the greater part of Stockholm is determinedly modern and much of that modernity is the result of an ambitious rebuilding programme. This has replaced the apartments and commercial buildings of the nineteenth and early twentieth century with spectacular architecture in glass and concrete, and has pushed many former residents of the inner city out to the suburbs.

For all these reasons the inner city is lightly populated by comparison with most other Western capitals. This is a feature which Stockholm shares with the rest of Sweden for, although the fourth largest country in Europe and almost twice the size of the United Kingdom, which has over fifty million inhabitants, Sweden has a population of less than eight and a half million. Part of the reason for this is, of course, that roughly a seventh of the land area of Sweden is north of the Arctic Circle, and climatic pressures ensure that a substantial majority of the Swedish population live in the south of their 1,000-mile-long country. Yet even this does not make the cities and countryside of the south overcrowded, and there is land and water for everyone. It is said that every Swede either has a boat or wishes he had one, and a glance at the map shows how much more useful a boat can be in Sweden than in most other developed countries. For Stockholm is not only built on islands, but is also close to no fewer than 24,000 other islands – the Stockholm Archipelago, where many city dwellers have holiday homes. There are, in fact, more than half a million privately owned boats around the Stockholm Archipelago, and there are times in summer when the traffic on the water is heavier than the traffic on the streets.

Almost as important to the character of Stockholm as its waterways and islands are its parks, trees and flowers. Those of a statistical bent may be intrigued to learn that a million flowers are planted every year in Stockholm's municipal parks. The care with which the trees, plants and open spaces are tended is quickly apparent, particularly to visitors who themselves enjoy gardening. Stockholm has only a quarter of the area of New York City, but has 12,500 acres of parkland by comparison with New York's 25,000 acres, and similar comparisons could be drawn with most major capitals. Many of the city's streets are lined with fine trees, which do much to soften the impact of often stark, modern architecture. June, July and August are generally regarded as the best months for visiting Stockholm, and in June and July particularly the eerily bright midsummer light of the evenings and early mornings lends a curiously supernatural character to the parks and gardens. You might stop and meditate on this curious effect on a park bench – Stockholm is said to have no fewer than 9,000 of them.

Yet it is the people that make Stockholm what it is – a neatly arranged, meticulously cared for city which seems vigorously alive at all hours. Stockholm is a centre of the arts, of museums and music. There are no fewer than thirty open-air theatres in the city where concerts, drama and ballet productions are staged in summer, and the world-famous Royal Opera has in its 200-year history gained the unique distinction of inspiring, by the murder within its walls of a Swedish king, an opera which remains one of the masterpieces of the Verdi repertoire. For it was the killing of Gustav III at the opera house in 1792 that became the basis of the story of 'The Masked Ball'. In a less traditional setting, Stockholm lays claim to the world's longest art gallery – the underground railway system. The ceilings and walls of most of the principal stations are a feast of paintings, mosaics and sculptures, again maintained at the public expense. Few art galleries can be enjoyed with as little effort. You just buy a ticket and ride.

The Swedish people are wealthy – Sweden vying with the USA for the distinction of owning the greatest wealth per head of the population – yet caring; capitalistic in their business outlook yet socialistic in their attitudes to welfare. Sweden is one of the most heavily taxed nations in the world and provides from that revenue comprehensive, even lavish welfare provision for the sick, the old and the disadvantaged. Yet despite their world leadership in the provision of welfare, Swedes are often independently minded, hard-working and commercially astute, and are sometimes unfairly thought to be excessively serious and unbending in their approach to life – although a single experience of the noisy abandon of a Swedish party should be sufficient to dispel that illusion. Nonetheless, Swedish etiquette does require that charming formalities are observed when, for example, a visitor is entertained in a Swedish household. The visitor should always bring his hostess flowers and, if he or she proves to be sitting immediately to the left of the hostess, must expect, as guest of honour, to make a short speech of thanks, usually after the main course and following a short welcoming speech from the host.

As you might perhaps expect in a country where public expenditure is almost a way of life, the public transport system in Stockholm is excellent, and getting around is remarkably easy for the visitor, right from the moment he or she arrives at Arlanda airport. The city bus from the airport is relatively inexpensive (about an eighth of the cost of a taxi), and this pattern continues throughout Stockholm. Buses and the 'Tunnelbana' or underground railway (the stations are marked with a blue 'T') will get the visitor to most places, and, because many of the sights of Stockholm are comparatively close together, walking has much to commend it in fine weather. At the time of writing, it is possible for visitors to buy at the Central Station a 'Stockholmskortet' (Key to Stockholm), a card which looks much like a credit card and permits the holder to use the city's public transport free of further charge. Other benefits of the card are free entry to museums and castles, a free excursion to the royal family's Drottningholm Palace, free entry to various nightclub entertainments and discounts on meals in some restaurants.

Probably the best way to make a start at seeing Stockholm is to take one of the various sightseeing boat trips which are available, and which provide a quite different perspective on the city from riding or walking through its streets. However you choose to get around, the more interesting areas of the city divide naturally into a number of districts, each of which occupies its own island and has a character and style all its own. A little later in this book, we shall look at most in some detail, but it may help the reader to have the principal islands listed and summarised at this stage.

Gamla Stan, as has already been noted, is the Old Town, the site of the Royal Palace (although not the palace in which the Royal Family now lives) and the centre of the city and of the nation's affairs. The adjacent islands of Riddarholmen (The Isle of Knights) and Helgeandsholmen (The Island of the Holy Spirit) effectively form part of the old town for the planning of a tourist's itinerary.

Södermalm (the name means southern district) is across a bridge to the south of Gamla Stan. Here you will find the Stockholm City Museum, housed in the 17th century former town hall.

Norrmalm, across the bridge to the north of Gamla Stan, is the financial and business quarter of Stockholm. Some of the most spectacular of the new building of the city is to be seen here.

On Kungsholmen, a large island west of Norrmalm, are to be found the modern municipal centres of Stockholm – the Town Hall and many of the city's administrative offices.

Östermalm, to the east of Norrmalm, is an expensive residential area, dotted with embassies and diplomatic premises.

Finally, Djurgården (Deer Park) is a huge island devoted almost entirely to the enjoyment of parkland and open spaces which stretches out eastwards towards the Baltic. In addition to many beautiful walks, Djurgården has amusement parks, museums and eating places, and is an excellent centre for a day out.

However, before embarking on a more detailed look at these areas of the city, let us look back a little at the fascinating history which has helped to create them. A knowledge of its history makes it easier to enjoy looking at a city, and Stockholm is, above all else, a city that should be enjoyed.

2 How History Helped Create one of Europe's most interesting Cities

Although it is usual to ascribe the foundation of Stockholm to the middle of the thirteenth century, its origins are much less clear than are those of other European capitals. The Viking age in Scandinavia, from about 800 AD to 1050, was fierce and bloody, and there was great rivalry between the Vikings of the east and those of the south and west. The Swedish Vikings, unlike those of Denmark, travelled east in their voyages of conquest, taking Kiev and Novgorod in Russia and even reaching Constantinople, and the establishing of trade links brought to Sweden the civilising concepts of mediaeval Europe. Christianity gradually succeeded the pagan Norse religions and by the thirteenth century was the dominant religious force. One Birger Jarl, brother-in-law of the king ruling approximately what we now know as Sweden, had his son elected heir to the throne, and thereby became a major power in the land. It was he who, to protect his new-found power against piracy, is reputed to have founded Stockholm as a fortified town to block the open access to Lake Mälaren.

In the fourteenth century, Stockholm gained in importance, although it was still not identifiably the capital, and in 1336 Magnus Eriksson was crowned King of Sweden in the town. At the end of the century, in 1397, the Kalmar Union, named after Kalmar where it was signed, united the three countries of Sweden, Denmark and Norway as Europe's largest (and potentially most powerful) kingdom, under Queen Margareta of Denmark. Intended to be a unifying force for peace, the Kalmar Union became instead a source of discord. Queen Margareta died in 1412 and was succeeded by her great-nephew Eric. He interfered with the long-standing rights of the nobility, and involved Sweden in his disputes with the Hanseatic League of Northern Germany. The Swedes resented his actions and the power of Denmark and a revolt began in central Sweden in the early 1430s under one of the great working class heroes of Swedish history, Engelbrekt Engelbrektsson. He assembled in 1435 the first Swedish parliament or

Riksdag, which, uncharacteristically for the age, included representatives of the burghers and peasants as well as of the nobility and clergy. The Riksdag elected Engelbrekt Regent of Sweden, and it was clear that the intention was to dissociate Sweden from the Kalmar Union. But it was not to be. Engelbrekt was murdered, the rebellion lost momentum, and, although Eric was forced off the Swedish throne, Sweden remained both a member of the Union and subservient to Denmark under the rule of a series of Regents until the sixteenth century.

In 1520, the last of the Regents, one Sten Sture the Younger, imprisoned the Archbishop of Uppsala, Gustavus Trolle, who sought revenge by persuading King Christian II of Ðenmark to invade Sweden and take personal control. Christian defeated Sture, entered Stockholm, and there accused of heresy and executed eighty-two nationalist leaders. The 'Stockholm Bloodbath', as this crime became known, resulted in popular revolt. Christian II lost control and in 1523 the leader of the rebels, Gustavus Vasa, then aged 27, was elected king of an independent Sweden. Joining with Frederick, Duke of Holstein, Gustavus Vasa defeated Christian II, who had been deposed by the clergy in favour of Frederick. By now the war had left Gustavus deeply in debt, and he recognised in the wealth of the Catholic Church, which had supported Christian II in the recent war, a solution to his problems. In 1527 the lands of the Church were confiscated, and the Reformation that led to the establishment of the Lutheran Church in Sweden was begun.

In 1544 Gustavus was strong enough to be able to proclaim that the Swedish throne would be hereditary in the House of Vasa, and when he died in 1560 he was succeeded by his son, Eric, who caused war with Denmark before becoming unbalanced and being in turn succeeded by his half-brother, John III, who tried to return Sweden to Catholicism. This added impetus to the movement to the Lutheran Church. After John's death, the Lutheran Confession of Augsburg was accepted in Sweden, and John's Catholic son Sigismund was deposed by John's Protestant brother Charles, who ruled as Charles IX.

The seventeenth century in Sweden was a time of almost continuous war and of great monarchs, who by now regarded Stockholm as the capital of their burgeoning kingdom. Gustavus Adolphus, who succeeded his father Charles IX in 1611, was the first Vasa king to go to war for the Protestant faith, playing a major role in the Thirty Years War in Germany against the Holy Roman Emperor in 1630 and 1631, when he defeated the Catholics at Breitenfeld. In 1632 Gustavus Adolphus was killed at the Battle of Lützen, to be succeeded by his six-year-old daughter Christina, immortalised by Greta Garbo in the film 'Queen Christina'. Axel Oxenstierna, regent during Christina's minority, continued the War in alliance with France, and also invaded and conquered part of Denmark. By the Peace of Westphalia in 1648, Sweden acquired the whole of Western Pomerania and great trading influence in Germany, but by then Queen Christina ruled in her own right. A brilliant, eccentric and cultured woman, Christina brought Stockholm for the first time to the status of an international centre of learning and the arts. Philosophers and musicians flocked to her court, and she dispelled much of the warlike Viking character of the monarchy during the previous half century. Always a Quixotic character, Christina suddenly renounced the throne in 1654, became a Catholic and eventually settled in Rome. Her cousin Charles X became king.

In his six years as king, Charles X defeated Denmark after Christian IV unwisely declared war, and thus gained for Sweden the Danish provinces on the eastern side of the Øresund, the channel between Zealand and the Swedish mainland. It was left to his son, Charles XI, who succeeded to the throne in 1660, to retain these conquests, and also to meet the colossal costs of a half century of war. He did this in part by selling the Church lands confiscated by Gustavus Vasa, but had also to enter into a subsidy treaty with France. In return for funds, Sweden fought with France against Brandenburg and Denmark, and in the process lost the lands in Germany won during the Thirty Years War.

In 1697, Charles XII became king at the age of only fifteen years. He was to be the last Swedish king to rule over the Baltic empire, and was a colourful and historically controversial figure. Initially he was spectacularly successful, pushing Denmark out of the war and defeating the Russians. He then, in the modern jargon, pushed his luck by advancing deep into Russian territory in 1708-9 and suffered the fate of all generals who over-extend their lines of supply. His defeat led to a lengthy period of exile in Turkey, and ultimately to his death in battle in Norway in 1718.

The Years of Peace and Culture

Now Stockholm was at last able to enter its golden age of science and the arts. The eighteenth century in Sweden saw Linnaeus creating the structure of modern botany by classifying the world's plants; Celsius pushing forward the frontiers of physics, and creating the Centigrade scale of temperature; Swedenborg rewriting much of the theoretical basis of scientific thought and method, and almost in the same breath founding his New Church. The Royal Opera was founded by King Gustavus III towards the end of the century, and he also created the Swedish Academy to encourage Swedish culture and the Swedish language. Sweden became, as it had been under Christina, a distinct and recognisable force in European thought and discovery; a setter rather than a follower of fashion. Gustavus wrote plays in Swedish and was an enthusiastic patron of the opera, and it was he who, in 1792, was mortally wounded at the masked ball, unwittingly to provide Verdi with inspiration.

Gustavus IV was but a shadow of his oustanding father and, in 1809, after Russia had been allowed to occupy Finland following Napoleon Bonaparte's Tilsit agreement with Tsar Alexander I, Gustavus was overthrown by the Swedish nobility, and his uncle Charles was put on the throne under a new constitution which greatly increased the power of the Riksdag. The new king had no children, so the estates of the Riksdag selected one of Napoleon's marshals, Jean-Baptiste Bernadotte, as heir to the crown, hoping that by so doing they would secure the help of the French in ejecting the Russians from Finland. Bernadotte arrived to take up the throne in 1810, and by 1812 had negotiated an alliance with Russia against his former country, France. The loss of Finland was compensated for by the acquisition of Norway from the Danes, who were in alliance with France, and in 1814 Norway became effectively part of Sweden, a situation which continued until 1905.

Sweden had fought its last war, not only of the nineteenth century but also, probably, of the twentieth for, since the Napoleonic Wars, Sweden has succeeded in maintaining peace through a policy of stoic and often unpopular neutrality. During the nineteenth century Sweden gradually recovered from war and debt, and a flourishing industrial and professional middle class with liberal and reforming ideas became a major force in the land, starting in Stockholm. The second king of the House of Bernadotte, Oscar I, was responsive to ideas of liberal reform, and encouraged a free industry. In 1866, the old four-estate Riksdag was replaced by a bicameral parliament, and the foundation of the modern Swedish political system was laid – the present single-house parliament was created in 1971. The latter years of the nineteenth century were years of agricultural famine, and these years provided much of the momentum that was to bring about in the early years of the twentieth century a belated industrial revolution, by which the great majority of the population moved from the land to industry and technology.

Because Sweden remained neutral in both World Wars, Stockholm did not suffer the fate of so many European cities at war, yet, in its own way, it has seen greater changes than the cities of the Ruhr. For so great has been the change in Swedish society in less than a hundred years that the city has grown extremely quickly, and much of the nineteenth century inner city has been swept away by the architecture of the second half of the twentieth century.

So, armed with a little history, let us look at this most attractive of cities, starting where it began, in Gamla Stan.

3 Gamla Stan – the Old Town of Stockholm

The Old Town of Stockholm is, as has already been noted, not actually upon one island, but three, although this is not immediately apparent to the visitor since Gamla Stan is one of the most complete and unspoiled examples of mediaeval city layout in Europe. The very fact that Stockholm has not been ravaged by modern warfare or invasion, as were (for example) Heidelberg and Cologne, has helped to preserve intact the heart of a city which had already been planned and built at the time when Edward I of England was seeking to subdue Wales and Scotland, and when the Black Death had yet to sweep across Europe. Built, according to the contemporary *Erik's Chronicle* "very stoutly and pleasantly" by the nobleman Berger Paul, Gamla Stan has somehow retained at least part of its balance between residential and commercial property, for although having an apartment or a pied-a-terre in Gamla Stan is extremely expensive and therefore socially exclusive, there is a large community within the ancient city. This is reflected in the diversity of shops in Västerlånggatan, the main shopping street of the old town, sometimes referred to as the Longest Store in Stockholm. Some of the houses between Västerlånggatan and Österlånggatan mark the line of the wall that enclosed the mediaeval city, and are almost as old as the city itself.

One family that has moved out is Sweden's Royal Family. Kungliga Slottet, the old Royal Palace, which dominates the northern end of Gamla Stan, is no longer the home of King Carl Gustav and Queen Silvia. They and their family live at Drottningholm. Kungliga Slottet itself is in fact rather more modern than many of the buildings around it, having been completed as recently as 1754 after the earlier Tre Kronor (Three Crowns) castle which had stood on the same site since the Middle Ages had been burned down while it was in the process of being reconstructed. The rubble from the old castle was piled up north of the site to form the hill known as Lejonbacken (Lion's Hill), at the foot of which stand two bronze lions cast from the metal of a fountain which the enterprising and warring Swedes once stole from Kronberg Castle in Denmark. Kungliga Slottet is a magnificent example of eighteenth century architecture, with just one part of the old castle remaining – the northern wing – which survived the fire. Designed and started by Nicodemus Tessin the Elder, who completed the exterior and began the interior design, and completed by his son Nicodemus Tessin the Younger and his grandson Carl Gustav Tessin, Kungliga Slottet has almost 600 rooms and was at one time reputed to be the world's largest palace inhabited by a Royal Family. The building programme took over sixty years from start to finish, and remains a remarkable tribute to the capabilities of one family of architects.

Unusually among palaces, Kungliga Slottet is in part open to the public, and most visitors to Stockholm regard the rooms of state at the palace as one of the highlights of their tour of the city. In the Hall of State one can see the silver throne of Queen Christina, and in the Treasury, down in the vaults, the Crown of Sweden, first used for the coronation of Erik XIV in 1561. Alongside it is the Queen's crown which was designed in 1751 for Queen Lovisa Ulrika and is studded with hundreds of diamonds. In the rococo Chapel Royal, in the same wing as the Hall of State, there are pews which were saved from the chapel of the Tre Kronor castle and many other historical and artistic treasures. Also open to visitors are the Apartments of State, which contain notable items of fine furniture and examples of Gobelin tapestry which are world famous. One can visit the apartments of King Oscar II and Queen Sophie and a number of guest apartments, all richly furnished and decorated and a feast of rococo design. Finally, it is worth noting that within the palace walls there are three of the more interesting museums of what is in a sense a city of museums. These are the Palace Museum, in the cellars of the palace, which contains relics of the Tre Kronor castle and many other antiquities from the mediaeval period, the Museum of Antiquities, which displays classical sculpture brought from Italy by King Gustav III during the 1780s, and Livrustkammaren, the Royal Armoury. The Armoury is a an extremely interesting collection of the weapons and costumes of the Swedish monarchs, and is well worth a visit. There is even the horse ridden by Gustavus Adolphus when he met his death at the Battle of

Lützen in 1632, suitably stuffed and mounted, the uniform worn by King Charles XII when he was mortally wounded in 1718, and the costume that King Gustav III ws wearing when he was murdered at the Stockholm Opera Ball. Outside the palace one can see the Changing of the Guard ceremony just after noon every weekday in July and August, or on Wednesdays and Saturdays in other months. On Sundays the ceremony takes place at 1.10 pm all year round.

Just across the street from the south side of the palace is Storkyrkan, the Great Church of the Swedish monarchy, which is also the cathedral of St Nicholas and of Stockholm. This is believed to be the oldest building in the whole of Stockholm, with parts dating from the middle of the thirteenth century. Until King Gustav V ascended the throne in 1907, and decided that he and future kings should not be crowned, most of the kings of Sweden were crowned in this church, and it is still used for state occasions. Although Storkyrkan is unpretentious outside, and is often missed by visitors for that reason, there are within the church many art treasures, including an extraordinary altar made of black ebony, and called, for reasons that are not immediately obvious, the Silver Altar. Near the front entrance to the church is one of the earliest paintings of Stockholm known to exist, showing the walled city of the early sixteenth century, standing amidst forested and largely uninhabited islands. The outstanding piece in the Great Church is a statue in wood of St George and the Dragon, carved by Bernt Notke of Lübeck. This was presented to the church in 1489 to commemorate Sweden's victory over the Danes in 1471, and symbolises the struggle of Sweden over Denmark.

Close to the Great Church is Stortorget, or Great Square, where the Stockholm Bloodbath or Massacre, referred to in the last chapter, took place, and it is in this square that one can find the Börsen (or Stock Exchange), where the Swedish Academy meets to elect the Nobel Prizes for Literature. The other buildings in Stortorget are also ancient and of great interest, particularly the tall red merchant house with its seventeenth century sculptured portal.

If one walks down the lane called Storkyrkobrinken, between beautiful, historic and remarkably preserved buildings, one comes to another square known as Riddarhustorget, which has several claims to fame, among them the fact that it was here that the assassin of King Gustav III met a grisly end by being flogged almost to death, then beheaded. The Riddarhuset, or House of the Nobility, on the north side of the square is reckoned by many to be the most beautiful building in Stockholm and accommodates the crests of the Swedish noble families. The main hall displays some 2,000 coats of arms, including that of Sven Hedin, the explorer and the last man in Sweden to be knighted.

Close by on the miniature island of Riddarholmen (Island of the Knights) is Riddarholmskyrkan, a church which has a green dome and a unique brick and iron lattice-work spire and is the burial place of many of Sweden's kings. Spanning some six and a half centuries, the monarchs interred here include King Gustavus Adolphus, who rented his army to the highest bidder and led Sweden to victory in the Thirty Years' War, and Charles (or Karl) XII, who died in battle in 1718, and has since been exhumed twice in unsuccessful attempts to establish whether he was shot by the enemy or by his own side. The earliest of the kings who share the church as their final resting place is Magnus Ladulås, who died in 1290. The most recent is King Gustav V, who was interred here in 1950. Each dynasty has its side chapel embellished with the monograms of the kings buried there.

Another notable building on Riddarholmen is the Wrangel Palace, which was for a time in the eighteenth century the interim royal residence while Kungliga Slottet was being built. Close to Riddarhustorget is a magnificent view of Lake Mälaren from the quay to which come ships which ply the Göta Canal from Göteborg. At the quay one can see the imposing outline of the Town Hall which seems to be afloat on the waters of the lake, and there is also an excellent view of the arches of the West Bridge in the middle distance. From this point one gains an impression of the true character of Stockholm, for this is a city where one is never far from the water. Equally, in this part of Stockholm, one is never far from the touch of history, for Gamla Stan is an area whose past is at one with its present; whose every building might qualify as exceptional were it anywhere else. Take a look at Västerlånggatan, just to the west of Stortorget. This is a long and gracefully curved mediaeval shopping street made up entirely of buildings which have been preserved almost to perfection. The street has no modern motor traffic, so retains not only the appearance but also something of the quality of the fifteenth century. Nearby is Tyska Brinken, in which you will find Tyska Kyrkan, the German Church, which is a fine example of baroque architecture with a magnificent 17th century interior.

Seek out Mårten Trotzigs Gränd (Grand is a word meaning lane), which has the distinction of being the narrowest street in Stockholm, and probably also qualifies as one of the narrowest in Europe. Approximately three feet or one metre wide, Mårten Trotzigs Grand is more in the nature of a stairway than a lane, and stretches down from Prästgatan to Västerlånggatan. At the end of Västerlånggatan is Järntorget (Iron Market Square), and on the other side of the square is Österlånggatan, another long, winding street which is full of galleries and shops selling the work of local craftsmen. Possibly the best-known tavern in Gamla Stan is Den Gyldene Freden (The Golden Peace) at Österlånggatan 51, named after the Peace of Nystad which brought to an end the wars of Charles XII in 1721.

Gamla Stan is best explored almost haphazardly, for each new street or square leads to a new experience in the appreciation of architecture and of the history of this great city. But so to is Skeppsholmen, the next island seaward from Gamla Stan. Once a great naval base, Skeppsholmen is enlivened by the presence of a nineteenth-century square-rigged ship, now used as a Youth Hostel, which is named 'af Chapman'. This curiously un-Swedish name is in memory of a great eighteenth-century shipbuilder whose forbears came from England, and whose shipyards were once the major source of employment on the island. Nowadays, Skeppsholmen is best known for a fine, permanent display of modern works of art – both paintings of varying degrees of startling unconventionality and a remarkable exhibit of sculptures which incorporate pieces of machinery, all of which are usually in working order.

One resource of Blasieholmen which should not be ignored is the Grand Hotel, which is mighty yet dull of aspect from the outside, but magnificently modernised and now regarded as one of the most exclusive hotels of its kind. Near the hotel are the piers from which one boards the pleasure boats which provide tours of the innumerable Stockholm waterways.

Visitors to Stockholm should not, however, spend all their time seeking and admiring the evidence of the city's past. There is much to enjoy in Stockholm's present – so let us move on to Norrmalm, the new northern city centre.

4 Norrmalm – the Centre of Stockholm

Just as Gamla Stan has been preserved in – or perhaps restored to – almost perfect mediaeval condition as a result of modern awareness of the irreplaceability of Sweden's historical heritage, Norrmalm, the city centre, has been almost completely reconstructed in the modern architectural idiom. Old streets have been totally – some say ruthlessly – swept away to make room for modern shopping malls, tall concrete and glass hotels and office buildings and all the components of a modern city environment. The result is far more successful than the rebuilding programmes that have afflicted many other European cities since the Second World War, for the planning of the new Stockholm was rigorously detailed and single-mindedly enforced. This caused some ill-feeling in the sixties and early seventies, but has resulted in a city whose original concept has been fulfilled and whose design is exceptionally co-ordinated.

Many people visiting Stockholm will stay in the vicinity of the Central Station, for a substantial proportion of the major hotels are in this part of the city. In front of the station are some of the major shopping streets of Stockholm, notably Klarabergsgatan, Drottninggatan and Kungsgatan, with eye-catching department stores such as PUB and Åhléns, but, in the context of seeking the new Stockholm, Klarabergsgatan is the street to take, for it leads to the area known as Sergels Torg (Sergels Square), the focal point of the new city centre. Sergels Torg is unmistakeable, for in its centre there is a colossal glass obelisk which reaches skywards from the centre of a fountain in the middle of a very busy traffic circle, but there is more to the square than the obelisk. There is a lower level which was built as a large and varied shopping mall but which has become the Stockholm equivalent of London's famous Speaker's Corner – a place for those dissatisfied with events or the political system to expound their views unhindered. From that has developed the custom of arranging protest marches and other political events so that they start from Sergels Torg, and for this reason it has become the centre of Stockholm radical action.

From the lower mall of Sergels Torg one can also enter the Kulturhuset, or House of Culture, which opened in 1974 and is an immensely popular attraction to visitors. Here one can see films and video presentations, admire exhibitions of painting and sculpture, listen to music, attend drama readings and listen to debates. Perhaps most important of all, one can find somewhere to sit down and rest, for in the library it is possible to settle in a substantial armchair fitted with earphones and listen to a vast range of recorded music. You can even go there to learn a language, for there are private booths in which you can learn from tapes the language of your choice. Many weary wanderers in the streets of Stockholm have discovered the benefits of coffee and relaxation in the Kulturhuset.

Incidentally, the name Sergels Torg was given to the area in recognition of one of Sweden's great sculptors, who lived and worked for most of his adult life in this part of Stockholm in the eighteenth century. His studio in the area survived until the sixties and, it might have been thought, could have been regarded as a part of Sweden's heritage. Instead it was totally destroyed because its presence conflicted with the plan for the new Stockholm.

If one walks through the shopping mall to Hötorget (Haymarket Square), at the northern end of the Höghusen (high houses), a series of five commercial tower blocks, one finds, almost surprisingly, a colourful open-air market selling flowers, vegetables and fruit. Across the square is the Konserthuset or Concert Hall, a building dating from the nineteen twenties and which miraculously survived the ambitions of the city architects. In front of the Konserthuset are ten fine columns with steps leading up to them – steps which are one of Stockholm's meeting places for young people, especially on a fine summer evening. In the hall one can hear the Stockholm Philharmonic Orchestra on many evenings of the year, and there are also many other concerts of different types of music, from early chamber music to the latest pop. Those appreciative of sculpture should not miss the Orpheus Fountain in front of the Konserthuset, which is one of the great Swedish sculptor Milles' finest works.

Going back to Sergels Torg, look for Hamngatan, which is another of the principal shopping streets of the city. On this particular street no visitor should miss the wonders of NK, described by Britons and Americans alike as the Harrods of Stockholm. In this quite extraordinarily diverse department store, which stocks only articles of high quality, it is said that one can buy almost anything if you have the money. Normally endowed tourists may find that they can afford to do little more than look, but even to look is an experience not to be missed, for the Swedes are masters at the art of window and counter display. In NK one can begin to grasp one of the fundamental characteristics of Sweden and the Swedes – their appreciation of quality, whatever the cost. Unlike the British, who regard the greatest achievement as being the finding of a bargain, and are prepared to accept only moderate quality if they get two for the price of one, Swedes will strive to buy one for the price of two, provided that the quality is high. Thus a Swedish businessman will normally wear clothes of far greater initial cost than will a comparable man from Britain or France, but he will also typically keep them and wear them for longer.

Across the road from NK at Hamngatan 27 is the Sverigehuset (Swedish House), which, as well as having a tourist information service on the ground floor often offers a design exhibition and has a library of books on Sweden. There is also a restaurant, but, as in all capital cities, it pays to check whether the locals are using any restaurant before patronising it yourself. The Sverigehuset commands a view over Kungsträdgården (Royal Gardens) which strikes the visitor as being a cross between a park and the promenade of a fashionable resort. As well as flowers, trees and pools with fountains, there are cafes, statues, a bandstand and giant chess games where the players must walk across the board to make their moves. Stockholmers use Kungsträdgården as a gathering place, in the tradition of the Bois de Boulogne in Paris or (to a lesser degree) Hyde Park in London, and the facilities of the garden reflect their interests - badminton, folk dancing, table tennis and, in winter, skating. Stretching from Hamngatan all the way to the waters of Strömmen, the narrow fast stretch of water which joins Lake Mälaren to the Baltic, Kungsträdgården was established in the 16th century for the exclusive use of the aristocracy and court but has become in egalitarian modern Sweden one of the greatest pleasures of a beautiful city.

At the southern end of the Kungsträdgården is Gustav Adolfs Torg, a large square in which you will find the Royal Opera House, Operan. Although the Royal Opera was founded, as we noted earlier, by King Gustav III in 1773, the present Opera House dates only from 1898. Here again, some of the world's greatest stars have begun their careers within these walls – Birgit Nilsson is an unforgettable example. The Royal Opera stages about four hundred performances of ballet and opera each year.

Even now, the delights of Hamngatan have not been exhausted, for at Hamngatan 4 is a fine, nineteenth century mansion full of quite magnificent art treasures - the Hallwylska Museet. In no less than seventy beautifully preserved and cared-for rooms, there are hundreds of objets d'art of the first order, including fine antique furniture, paintings of the French and Dutch schools, a remarkable collection of figurines and many Gobelin tapestries. Just a few hundred yards further on at Nybroplan is one of the world's greatest theatres, the Dramatiska Teatern. When Eugene O'Neill died in 1953, the theatre inherited the rights to his last plays, and therefore had the honour in the fifties of bringing to the world the premieres of several great plays, including 'Long Day's Journey into Night'. Two of the great film actresses of the century, Ingrid Bergman and Greta Garbo, both began their stage careers here.

On the far side of Norrmalm, beyond the Central Station, across the Stadshusbron (Town Hall Bridge) and on the bank of Lake Mälaren, is the world-famous Stockholm Town Hall, the Stadshuset, designed by Ragnar Ostberg. Undeniably one of the most controversial architectural works of the twentieth century, Stockholm Town Hall was completed in 1923, and is the seat of the city council and of the administration of Stockholm. A finely-proportioned simple block in dark brickwork is roofed in pale green, with domes, spires and minarets. From one end of the main body of the building there rises a stark yet massive square tower whose design is redolent of that of the ancient castles of Sweden. The whole is further decorated, finished or confused, according to your point of view, with a extraordinary mixture of Byzantine and Oriental window designs.

Whether the unusual exterior treatment withstands the test of time is open to question, but the interior is remarkable by any standard. The Blue Hall, which is actually red, is the location for the Nobel Prize banquets each year; the Golden Hall is full of startlingly vivid mosaics; the Prince's Gallery is decorated with murals executed by the famous Prince Eugen. Walk in the terraced garden by the water and you will discover sculptures of Stockholm's greatest contemporary dramatist, August Strindberg, of the painter Ernst Josephson and of the poet Gustaf Fröding, all the work of Carl Eldh. To the west of the Town Hall is an attractive promenade which follows the edge of the lake. Known as Norr Mälarstrand, the lakeside walk is popular with Stockholmers, especially at weekends.

From this brief description you will gather that Norrmalm, although modern, is not without interest. In fact, Norrmalm, because it is so exhaustively planned and carefully managed, is both modern and beautiful, functional and exciting; a tribute to the potential of twentieth century architecture and planning to succeed if everything goes right. Sadly, there are many other examples in Europe which prove just as dramatically that planners and architects can get it badly wrong. It is to Stockholm and Sweden's credit that the city remains its beautiful self.

5 The Fun Side of Stockholm – Djurgården

If you take the ferry from the southern end of Skeppsbron Quay, on Gamla Stan, it is a brief but very enjoyable trip in a small steamboat to Djurgården, a large, green and beautiful island which thrusts out eastwards towards the Baltic Sea in the channels between Östermalm and Södermalm. While undeniably still a part of Stockholm, Djurgården is given over to the enjoyment of the outdoor life and of simple pleasures. The name means Park of the Animals, and the island was so christened because it was once a royal hunting park, in which the past kings and princes of Sweden disported themselves in pursuit of boar, deer and their neighbours' daughters. In these more civilised times, Djurgården is a combination of nature trail, museums, parkland, zoo and amusement park on a massive and thoroughly enjoyable scale. Of course, you do not have to go by ferry. You can walk from Östermalm, along Strandvägen to Djurgardsbron, the bridge between Östermalm and Djurgården. Or you can catch a bus or take a taxi – if you can afford it. Once across the bridge and on the island of Djurgården, you are close to the most popular tourist attraction in Stockholm and a piece of history that has drawn the attention of scholars from all over the world – the *Wasa*, the second oldest identified ship on earth after Britain's *Mary Rose*.

The *Wasa* shares more with the *Mary Rose* than just her raising from the deep after centuries of submarine obscurity for, like the *Mary Rose*, she sank shortly after setting sail, and in the full view of her king. Built to be the most powerful warship in the Baltic, she left for her maiden voyage on August 10th 1628 to the cheers of most of the population of Stockholm and of King Gustavus Adolphus. Less than a mile from the quay the 200-foot-long ship was caught by a powerful gust of wind. Water poured in through her 64 open gun ports, and she heeled over and unceremoniously sank, taking with her fifty sailors to their deaths. Only her cannon, whose weight had helped to sink her, were recovered, and the *Wasa*, an embarrassment to the king, was quickly forgotten. For more than three hundred years, she lay in 110 feet of water.

In 1956, amid much excitement, her position was rediscovered and it was found that, incredibly, the salt waters of the harbour had preserved the ship more or less intact. A major salvage operation was set in train and in May 1961 the *Wasa* was raised and moved to her present position in a special building just off Djurgardsvagen. More than 24,000 artefacts from the ship were discovered by divers, who sifted through no less than 40,000 cubic yards of mud to find the ship's equipment and the belongings of its crew. Eighteen skeletons were found intact, and from these were obtained items of clothing worn by seamen of the early seventeenth century. There was even a flask of rum, which remained in drinkable condition. Now (at the time of writing) the *Wasa* stands in a floating dry dock as restoration work continues, but it is expected that, before 1990, the ship will have been completed and moved to a permanent home. The exhibition near the ship contain an extraordinary variety of possessions almost four hundred years old – eating and drinking utensils, weapons, cannon balls, tankards, coins and many other items.

However, the *Wasa*, remarkable as it is, is not the only example of Swedish craft and history on the island. Close by Djurgardsbron, the bridge leading to Djurgården, is Nordiska Museet (the Nordic Museum), which contains a huge collection of exhibits revealing much about the development of Sweden's social history since the year 1500. There is, for example, a remarkable collection of Swedish bridal gowns and coronets, a unique display of fabrics and tapestries, and many other articles of great interest. Nearby again is the Biologiska Museet, or Natural History Museum, and Liljevalchs Konsthall, which mounts exhibitions of the fine arts. Not far away, on the extreme southern tip of the island of Djurgården, is Waldemarsudde, the former home of Prince Eugen, known as 'The Painter Prince', which was bequeathed to the nation on the Prince's death at the age of 82 in 1947. Here one can see a fine collection of Swedish art, mainly of the late nineteenth century, including over a hundred paintings by Prince Eugen himself. The house, which is architecturally of great merit, and its magnificent gardens stretching down to the Baltic coast are also well worth seeing for their own sake. Another museum which is quite close to Waldemarsudde and should not be ignored is Thielska Galleriet, which has a collection of Scandinavian and French art, including some pictures by the playwright August Strindberg.

Close to the *Wasa*, on Djurgardsvagen, is Grona Lund, sometimes called Tivoli. Like that other great Tivoli in Copenhagen, this is the city's amusement park. As well as the fairground rides and shooting galleries that one might expect in such a place, Grona Lund offers an open air theatre that is famous for its fine productions, pop concerts, family entertainment and so on, and to which major stars of the theatre, both Swedish and from other countries, come to perform.

Skansen

Just across the street from Grona Lund is the entrance to Skansen (the word means 'The Fort'), which is both amusement park, in a more sophisticated sense of the word than is implied by Grona Lund, and open-air museum. Attractively laid out on the sides of a 75-acre hill, Skansen contains not only a concert hall, a theatre and a museum, but also an aquarium, a zoo, a circus and a large number of restaurants and cafes. The open-air museum contains a wide variety of traditional Swedish town and country buildings – windmills, cottages, barns, manor houses, farmhouses, and much more – plus a wide variety of genuine city shops and workshops dating from before the industrial revolution. All of these buildings have been brought here from towns and villages all over Sweden, usually to save them from demolition, and many still have their original interior decoration dating from a century ago. There is even a beautiful little country church, Seglora Kyrka, brought here from Seglora in Västergötland, and still in full use as a church, with regular services. Seglora Kyrka is much in demand for weddings among Stockholmers, and it is not difficult to see why.

Perhaps the most attractive feature of Skansen is the fact that the workshops are not merely museum pieces, but are actually working, and one can see craftsmen blowing glass, binding books and pursuing many other trades in the traditional manner using genuine tools from the last and earlier centuries. There is a Lapp encampment, examples of mountain shielings and whole streets of country buildings which have been acquired and re-erected in their original form. All of these buildings, some one hundred and fifty of them, have been brought to Djurgården to concentrate into one place a view of Swedish life and culture over the centuries. Created in 1891 by Artur Hazelius, Skansen was the first of many such open-air museums created around the world, and, as the prototype for them all, remains one of the most appealing. Since Hazelius' time, the value of Skansen as a historical collection has increased immeasurably, for it is in the twentieth century that Sweden has made its dramatic leap from being a predominantly agricultural society to being mainly urban. Skansen, now more than ever in Hazelius' lifetime, is a record of a culture that was fast disappearing even before the industrialisation of this beautiful country.

In the Skansen zoo are animals from all over the world with, as perhaps might be expected, a particularly fine collection of mammals from the most northern latitudes. Elk, moose, rheindeer and wolves, polar bears, seals and walrus provide visitors with a spectacular view of the wildlife of Northern Europe and America, but there are animals in bewildering variety from the rest of the world too. In the children's zoo, Lill-Skansen, are plenty of small animals such as rabbits, kittens, guinea-pigs and other furry creatures to make the children happy. Skansen has Sweden's largest aquarium, complete with Cuban crocodiles, and a fine collection of nocturnal animals such as bushbabies in the Moonlight Hall.

The Great Outdoors

It would be wrong to give the impression that Djurgården is entirely an island of museums, amusement parks and the wonders of Skansen. Although, inevitably, it is to the *Wasa* and to Skansen that the vast majority of visitors to Stockholm first come, such delights represent only a very small part of the pleasures that Djurgården has to offer. For the seventy-five per cent of the island that is east of Skansen is almost entirely open parkland, with very few roads and almost total free access for walking and the pleasures of the open air. It is to the open spaces of Djurgården that many Stockholmers come to enjoy riding on horseback, walking, picnicking or just sitting and staring, for the views of Stockholm looking north, and of the Baltic looking east and south are well worth a few moments of quiet contemplation. If one walks the seemingly endless promenade along the north coast of the island, close to Rosendalsvägen, and looks across the Djurgardsbrunnsviken to the eastern outskirts of Östermalm, one is rewarded by a succession of panoramas of a quite beautiful channel.

But the residents of Stockholm have more to see than the views to be admired from Djurgården, for this is the city with its own archipelago, access to some of the most scenically satisfying lakes in Europe, and a quite remarkable range of fine houses to visit. So let us move outside Stockholm itself, and look at just a few of the places that can be found within a day trip from the city centre.

6 Out and About Around Stockholm and the Archipelago

Stockholm can be thought of as the cork in the neck of Lake Mälaren, dividing it from the Baltic Sea beyond. To the west of the city is the lake, with dozens of islands and a quite extraordinary number of castles and houses at the water's edge. To the east is the sea and the unique archipelago of some 24,000 islands of all sizes, known to the Swedes as Skärgården. South and southwest of Stockholm is the attractive province of Södermanland, full of interesting buildings, picturesque churches and neat agricultural scenery. To the north is Uppland, one of the most interesting provinces to those who wish to see evidence of Norse history at first hand. For in Uppland there are literally hundreds of genuine Viking rune stones, each bearing ancient carved inscriptions telling something of the history of the Viking peoples.

On the edge of the city itself is the Haga Palace, formerly the home of the late Crown Prince Gustav Adolf, in the grounds of which is the rather more interesting Haga Pavilion, a small summer palace full of the most beautiful furniture, and well worth a visit. East of the city on the small island of Lidingö, a suburb of the city, is the home of Carl Milles, Sweden's greatest sculptor, where he died aged 80 in 1955. The house has become the centre of an impressive collection of sculpture, much of it by Milles himself but with outstanding pieces by other artists from a variety of countries and eras.

Looking to Lake Mälaren, one of the most exciting and worthwhile trips is to the Royal Palace of Drottningholm (or Queen's Island), designed in the French manner, which is to be found on the edge of the island of Lovö, some half a mile from the shore of the mainland, just southwest of the city. The 17th century palace is startlingly reminiscent of Louis XIV's palace of Versailles, with formal gardens in the French style, elaborately laid-out flower beds and lawns full of statuary and fountains and carefully planned paved walks culminating in beautifully contrived vistas. There is even an equivalent at Drottningholm for Marie Antoinette's Grand Trianon, in the shape of Kina Slott, the China Palace, a miniature palace decorated in Chinoiserie, complete with its own Canton village. Here King Adolphus Frederick (1751-1771), who enjoyed fame as a fine locksmith as well as his status as king, worked in the forge to entertain himself. The Kina Slott is hidden among trees and conceived as a place for the Royal Family to relax and enjoy themselves.

The Palace of Drottningholm itself was built by Nicodemus Tessin the Elder, and the gardens were completed by his son, Tessin the Younger, in the manner of the landscaper Le Notre. In the gardens is to be found the Theatre de Verdure of Gustav III, with its stage and auditorium laid out in clipped hedging. One wing of the palace is the home of the Swedish Royal Family, but other parts are open for guided tours in the summer between May and August, and between 11 am and 4.30 pm each day except Sundays, when the hours are 12 noon to 4.30. There are some magnificent tapestries, which make a visit to the interior of the palace more than worthwhile.

Just to one side of the palace itself is the fascinating Royal Theatre, built in the eighteenth century for Louisa Ulrika, who employed professional French actors and ran the theatre for the benefit of the court. After her death, Gustav III seized upon the theatre as the basis for his grand design to create a Golden Age in Sweden, and replaced the French actors and plays with Swedish performers and works in the national language, often performing as many as four different plays every week. After Gustav's sudden death by the bullet, the theatre was not sustained, and was used first for religious teaching, then as a store, and finally as a junk room. Not until 1921 did Professor Beijer go into the theatre and discover the incredible fact that the original eighteenth century stage machinery, settings, scenery and seats were intact and undamaged, a tribute to both the Swedish climate and the lack of vandalism in this most orderly of countries. In 1922, the theatre was back in use, and as far as the author is aware, it is the only example in the world of a completely authentic eighteenth-century theatre staging the great court productions of the period against the original scenery, manipulated with the unaltered machinery of two hundred years ago. The blue velvet benches of the auditorium are still marked with the ranks of those who sat in each place in the reign of Gustav III, and, for those interested in theatre, this is a sight not to be missed. It is possible to attend performances given in period costume, but it is necessary to book well in advance.

Lake Mälaren stretches for some sixty miles further west from Lovö and Drottningholm, and has more than three hundred islands. One of the most impressive of its castles and fine houses is Gripsholm Castle, which can be reached either by train or by boat from Stockholm, depending on how much time the traveller has available. The original castle here was built by a Lord Chancellor of Sweden, Bo Jonsson Grip, in the fourteenth century. Grip holds a unique place in history as having owned more land than any other private individual has ever amassed: before he died in 1386 he owned personally about two thirds of Sweden. He had such power that, when he became annoyed and declared war personally on Danzig, the mediaeval state thought it sensible to come to terms rather than risk a fight.

The present castle was built by Gustav Vasa in the sixteenth century and extended many times by subsequent monarchs. Gripsholm has to Sweden many of the connotations of the Tower of London to Britain, for it was for many years a prison, and has served as a repository for deposed kings and princes in its four hundred years or so of existence. In fact, three of Gustav Vasa's sons, who made a life's work of opposing each other, made effective use of the castle, and two of them (John III and Erik XIV) actually succeeded in imprisoning each other (at different times!) within its walls. Nowadays the castle is given over to more peacable purposes, and holds one of the largest collections of historical portraits in the world. Among them is a portrait of Erik XIV which was sent by him to Elizabeth I of England with his proposal of marriage. As we know, it did not work. Gripsholm, like Drottningholm, has a theatre of its own, this one actually built in what had formerly been the castle's chapel by Gustav III, but it lacks the remarkable state of preservation of that at Drottningholm.

The town closest to Gripsholm is Mariefred, a beautifully preserved southern Swedish country town with a cobbled square and a quite delightful white baroque church. The houses here are all in the ochre and red colours that are so typical of old Swedish towns – the red being known as Falun red, because its popularity was brought about by the availability of red pigment from the ancient copper mines at Falun. At Mariefred is a preserved steam railway which is interesting and worth an hour if you have it to spare.

The Archipelago

Stretching out into the Baltic to the east of Stockholm, the archipelago is the playground of Stockholm and consists of three loosely defined groups of islands or regions. The large islands of the inner group are mainly forested or agricultural, and are quite extensively populated. Those of the middle group, slightly further away from Stockholm, are smaller, with a wider variety of size. Some of this middle group are almost uninhabited paradises of wild flowers and trees, with perhaps a holiday home or two; others are large enough to support villages; all are separated by narrow and often beautiful channels. Some of the outer group of islands, right out in the Baltic Sea itself, are little more than barren, uninhabited rocks, although many of them are quite large.

One of the more significant islands of the outer archipelago is Sandhamn, about two hours from Stockholm by fast motor boat. A major sailing centre and the headquarters of the Royal Swedish Yacht Club, Sandhamn has an internatinal regatta each summer, and its population grows from about a hundred in the often stormy winter to many thousands in the season.

Much nearer to Stockholm is Vaxholm, to the east of the city, a fine old small town with a 16th century fortress which once guarded the approach from the sea and is now an interesting museum. One of the attractions of Vaxholm for those who like to spend their days outdoors is its enjoyable walks by the sea, with views of boats and the beautiful rocky shore of the island.

Wherever the visitor goes in the Stockholm archipelago, the life is easy, pleasant and relaxing. Most of the Swedes come here to sunbathe and enjoy themselves, and do not expect their visitors to do much more.

Sigtuna, Uppsala and the Area North of Stockholm

The province north of Lake Mälaren is Uppland, which has much to offer visitors to Stockholm, for it is relatively easy to reach some most attractive towns by road, by public transport or by boat.

Sigtuna, northwest by north of Stockholm on a narrow arm of the lake, is believed to be Sweden's oldest town, and was founded by the country's first Christian king, Olof Skötkonung, early in the 11th century. Once the principal religious centre of Sweden before Uppsala took over that role, Sigtuna is today a magnificently preserved old town, with intact buildings dating from the sixteenth, seventeenth and eighteenth centuries and four ruined churches built between 1060 and 1130. Storgatan in Sigtuna is believed to be the oldest street in Sweden.

And so Back to Stockholm

Sweden's capital and the lakes, islands, cities and towns around it are uniquely beautiful and compelling, even to the seasoned traveller. There is a mysticism about Swedish history which compares to that of the Teutonic Knights, the Knights Templar or the chivalry of the era of Charlemagne, and it pervades the society and culture of Sweden to give it an addictive quality. Once you have tasted the ambience of Sweden, you want to taste it again. Nowhere is that more true than in Stockholm.

1."Staden som flyter på vattnet"

Stockholm har ofta kallats "Den vackraste staden i världen", något som det är svårt att säga emot, för utan tvivel är Sveriges huvudstad en verklig fröjd för ögat. Staden är mer än 700 år gammal och grundades på den ö som idag kallas "Gamla Stan". Stockholm har varit Sveriges huvudstad sedan 1634 (några påstår 1436) och är en mycket levande stad. Den omfattar fjorton öar och det vimlar av underbara vattenvyer och grönområden där man minst anar det. Majestätiskt belägen på den plats där en av Sveriges största insjöar — Mälaren, når fram till Östersjön. Staden har mer än fyrtio broar vilka överbryggar vattnet mellan öarna.

Nära trekvarts miljon människor bor i innerstaden och lika många därtill i Stockholms förorter, men för inte längre tillbaka än till år 1900 bodde här mindre än 100.000 människor. Den enorma tillväxten av Stockholm beror bland annat på industrialiseringen av vad som tidigare varit ett jordbrukssamhälle. När 1900-talet började, fick mer än sextio procent av den svenska befolkningen sitt levebröd från arbetet med jorden. Idag, när seklet går mot sitt slut, är det endast fem procent som brukar jorden och befolkningen har flyttat in till tätorterna från landsbygden. Denna snabba utveckling kan man se på Stockholms byggnader och i stadsbilden. Trots att här finns bevarad en av den intressantaste och mest pittoreska gamla stadskärna i Europa, så är större delen av Stockholm avgjort modern och mycket av denna moderna prägel är resultatet av ett ambitiöst förnyelseprogram. Lägenheter och affärsfastigheter från 1800- och det tidiga 1900-talet har ersatts med imponerande arkitektoniska skapelser i glas och betong och många av innerstadens invånare har flyttats ut till förorterna.

Av detta skäl så är innerstaden glest befolkad i jämförelse med de flesta andra huvudstäder. Detta är typiskt för Sverige och trots att Sverige är det till ytan fjärde största landet i Europa och nästan dubbelt så stort som Storbritannien (som har nära femtio miljoner invånare), har Sverige bara drygt åtta miljoner invånare. En av förklaringarna till detta är naturligtvis det, att ungefär en sjundedel av Sverige är beläget norr om Polcirkeln och det hårda klimatet där gör att större delen av Sveriges befolkning bor i de södra delarna i detta cirka 160 mil långa land. Städerna och landsbygden söderut är trots det inte överbefolkade utan det finns både land och vatten så att det räcker till för alla. Det sägs att alla svenskar antingen äger en båt eller önskar att de gjorde det, och en blick på kartan visar hur mycket mer nytta man kan ha av en båt i Sverige jämfört med de flesta andra industriländer. Stockholm är inte bara byggt på öar, i Stockholms skärgård i närheten finns dessutom inte mindre än 24.000 öar. I skärgården har många stockholmare sina fritidshus och det finns faktiskt mer än en halv miljon fritidsbåtar i Stockholms skärgård och det händer på sommaren, att trafiken till sjöss är intensivare än trafiken på gatorna.

Lika viktigt för Stockholms stadsbild som vattnet och öarna är stadens alla parker, träd och blommor. För den som är statistiskt intresserad kan berättas att en miljon plantor sätts ut varje år i Stockholms offentliga parker. Den omsorg med vilken dessa träd, växter och grönområden sköts märks tydligt, särskilt för de besökare som själva tycker om trädgårdsarbete. Till ytan är Stockholm bara en fjärdedel av New York, men här finns femtio kvadratkilometer grönområden jämfört med New Yorks hundra. Liknande jämförelser kan göras med de flesta huvudstäder. Många av gatorna är kantade med vackra träd, vilka gör mycket för att mjuka upp den ofta starkt moderna arkitekturen. Juni, juli och augusti anses vara de bästa månaderna för ett besök i Stockholm, och i synnerhet juni och juli, när det trolska klara midnattsljuset skänker ett märkligt nästan övernaturligt drag åt parkerna. Stanna upp och meditera över detta märkliga fenomen på en parkbänk, Stockholm har mer än 9.000 av dem.

Trots allt så är det människorna som gör Stockholm till vad det är, en vacker, välordnad, omsorgsfullt skött stad vilken tycks vara lika levande hela dygnet. Stockholm är ett centrum för museer, konst och musik. Det finns inte mindre än trettio utomhusscener där konserter, teater och balett spelas upp under sommaren och den världsberömda Kungliga Operan, som under sin 200-åriga historia bland annat erhållit berömmelsen av att ha inspirerat Verdi till ett mästerverk. Det var nämligen mordet på Gustav III här på operan år 1792 som bildade grundstommen i operan "Maskeradbalen". Mindre traditionellt uttryckt, gör Stockholm anspråk på att ha världens längsta konstgalleri — det underjordiska tunnelbanesystemet. Taken och väggarna på de flesta av de större stationerna är en fest för ögat med målningar, mosaiker och skulpturer, allt hållet i gott skick med kommunala medel. Få konstgallerier kan man njuta av med så liten ansträngning. Det är bara att köpa en biljett och åka runt!

Svenskarna är ett rikt folk. Sverige och USA konkurrerar om främsta platsen när det gäller störst förmögenhet per invånare, men svenskarna bryr sig ändå om sina medmänniskor. Sverige har en kapitalistisk affärsprofil men en socialistisk profil när det gäller välfärd. Sverige är ett av de länder som har den högsta skattebördan i världen, men lämnar från dessa enorma skatteinkomster ett generöst stöd till sjuka, gamla och andra i samhället missgynnade grupper. Trots detta värdsmästerskap i "välfärd åt alla", är svensken oftast mycket oberoende till sin läggning, arbetar hårt och är skarpsinnig i affärer och anses ibland orättvist för att vara allvarlig och stel men det räcker oftast med bara ett kort möte med ett uppsluppet svenskt sällskap för att skingra denna missuppfattning. Icke dess mindre, den svenska etiketten kräver vissa charmiga formaliteter när en besökare är inbjuden till ett svenskt hem. Gästen skall alltid överlämna blommor till värdinnan, och om han sitter närmast till vänster om värdinnan, förväntas han att som hedersgäst hålla ett kort tacktal, vanligtvis efter huvudrätten och efter värdens korta välkomsttal.

Som man kanske kan begära i ett land där offentliga utgifter nästan är en livsstil, så är kollektivtrafiken i Stockholm mycket bra. Att ta sig från en plats till en annan är förvånansvärt enkelt för en besökare, ända från det ögonblick då han exempelvis anländer till Arlanda flygplats. Bussen från flygplatsen in till stan är förhållandevis billig (ungefär en åttondel av vad en taxi kostar), och det samma gäller för hela Stor-Stockholm. Bussar och tunnelbana (stationerna är markerade med ett stort blått T) för besökaren till de flesta platser, och tack vare att många av sevärdheterna ligger nära varandra kan man sedan promenera omkring om vädret är vackert. För besökaren är det en god idé att på bland annat Centralstationen köpa "Stockholms-kortet", ett kort som ser ut som ett kreditkort och som ger innehavaren rätt att åka gratis på stadens bussar och tunnelbanor. Andra fördelar med kortet är fritt inträde till flera slott och museer, gratis utflykt till den kungliga familjens slott Drottningholm, fritt inträde till flera nattklubbar med underhållning och rabatt på vissa restauranger.

Det förmodligen bästa sättet att se på Stockholm är att börja med tur på en av de många rundtursbåtarna, det ger en helt annan bild av staden jämfört med att åka eller promenera runt på gatorna. Hur du än väljer att ta dig runt, de intressantaste platserna i staden ligger runt om i de olika stadsdelarna, var och en med sin egen karaktär och sin egen charm. Längre fram i denna bok ska vi se på de flesta lite mer i detalj, men vi ska börja med att räkna upp och kortfattat beskriva de viktigare öarna och platserna.

Gamla Stan, den stadsdel där Kungliga slottet ligger (dock ej längre det slott där kungafamiljen bor) och som är stadens mittpunkt och centrum för rikets affärer. De närliggande öarna Riddarholmen och Helgeandsholmen räknas också till Gamla Stan. Södermalm ligger rakt söderut över bron från Gamla Stan. Här finns bland annat Stockholms stadsmuseum, beläget i det gamla stadshuset från 1600-talet. Norrmalm, över bron norr om Gamla Stan, bildar finans och affärskvarteren i Stockholm. Några av de mest imponerande byggnaderna finns i dessa kvarter. På Kungsholmen, en stor ö väster om Norrmalm, ligger de moderna kommunala förvaltningarna, Stadshuset och många av förvaltningskontoren. Östermalm, öster om Norrmalm, är ett exklusivt bostadsområde med många ambassader och konsulat. Slutligen, Djurgården som är en enorm ö nästan enbart avsedd för rekreation och med väldiga grönområden som sträcker sig ut mot Östersjön. Förutom de många underbara strövstigarna, har Djurgården en nöjespark, museer och restauranger och det är ett fantastiskt ställe för en dag ute i det fria. Här finns också Skandinaviens största friluftsmuseum — Skansen.

Innan vi tittar närmare på dessa områden i Stockholm ska vi först titta bakåt på den fascinerande historia som har skapat staden. Kunskapen om stadens historia gör det sedan lättare att förstå och uppskatta staden och Stockholm är, mer än många andra platser, en stad som verkligen bör uppskattas.

2. Hur en av Europas intressantaste städer skapades

Trots att grundandet av Stockholm skedde någon gång på mitten 1200-talet, så är stadens bakgrund mycket mindre känd än de flesta andra europeiska huvudstäders. Vikingatiden i Skandinavien, från omkring år 800 till år 1050 e.Kr. var grym och blodig, och rivaliteten var stor mellan vikingarna i öster och de från söder och väster. De svenska vikingarna, till skillnad från de danska, reste österut på sina erövringståg, intog Kiev och Novgorod i Ryssland och tog sig ända fram till Konstantinopel, och de handelsvägar som upprättades förde med sig till Sverige de civiliserade begreppen från ett medeltida Europa. Kristendomen trängde bit för bit undan de hedniska nordiska lärorna och blev på 1200-talet den dominerande religiösa läran. Birger Jarl, svåger till kung Erik Eriksson som styrde det dåtida Sverige, fick sin son vald till tronarvinge och blev på så vis en mäktig man i riket. Det är han som, för att skydda sin nyfunna makt mot härjningar, fått äran av att ha grundlagt Stockholm genom att med en borg befästa Stadsholmen för att vakta det öppna inloppet till Mälaren.

På 1300-talet ökade Stockholm i betydelse men hade ännu ej blivit huvudstad i Sverige. Vid slutet av århundradet, år 1397, förenade Kalmar-unionen (kallad så efter staden där mötet hölls) de tre länderna Sverige, Danmark och Norge till Europas största och förmodligen starkaste kungarike under drottning Margareta av Danmark. Avsikten var att skapa en styrka för att bevara freden, men Kalmar-unionen blev i stället en källa till split och oenighet. Drottning Margareta dog år 1412 och efterträddes av sin släkting Erik av Pommern. Han inskränkte på adelns urgamla rättigheter och drog in Sverige i sina tvister med Hansastaterna i norra Tyskland. Svenskarna upprördes av hans handlingar och ett uppror bröt ut i mellan-Sverige 1434 under en av de stora frihetshjältarnas ledning — Engelbrekt Engelbrektsson. Han samlade ihop representanter från borgare och bönder, adel och präster till Sveriges första riksdag som hölls i Arboga 1435. Riksdagen valde Engelbrekt till riksråd samt till hövitsman. Avsikten var givetvis att bryta loss Sverige från Kalmar-unionen. Detta skulle emellertid inte ske. Engelbrekt mördades, revolten kom av sig och fastän Erik av Pommern tvingades att lämna den svenska tronen, förblev Sverige medlem av unionen och därigenom underställt Danmark under en lång rad av regenter ända fram till 1500-talet.

År 1520 fängslade Sten Sture den yngre ärkebiskopen Gustaf Trolle i Uppsala. Gustav Trolle sökte hämnd genom att övertala danske kungen Kristian II, i Sverige mer känd under namnet Kristian Tyrann, att gå in i Sverige och själv ta över makten. Kristian besegrade Sture, red in i Stockholm och där blev åttiotvå anhängare till Sture anklagade för kätteri och avrättades. "Stockholms Blodbad" som denna händelse kallas gav signalen till allmänt uppror. Kristian förlorade kontrollen och år 1523 valdes upprorsledaren Gustav Vasa, då tjugosju år gammal, till kung för det självständiga Sverige. Tillsammans med Fredrik, greve av Holstein, besegrade Gustav Vasa Kristian som nu också blev avsatt av prästerskapet i Danmark till förmån för Fredrik. Kriget hade satt Gustav i stor skuld och i den katolska kyrkan som hade stött Kristian II under kriget, fann han lösningen på sina problem. År 1527 konfiskerades kyrkans tillgångar och reformationen som ledde fram till den lutheranska kyrkan hade börjat.

1544 var Gustav Vasa så stark på tronen att han deklarerade att den svenska tronen i fortsättningen skulle ärvas inom ätten Vasa, och när han dog 1560, efterträddes han av sin son Erik. Erik startade nytt krig mot Danmark innan han blev sinnessjuk och då efterträddes av sin halvbror Johan III som försökte att återinföra den katolska kyrkan till Sverige. Detta gav i stället ökad kraft till den lutheranska kyrkan och efter Johans död blev den Lutheranska bekännelsen från Augsburg accepterad i Sverige och Johans katolske son Sigismund avsattes av Johans protestatiske bror Karl som blev regent med namnet Karl IX.

1600-talet var en tid med kraftfulla kungar och nästan oavbrutet krig. Gustav II Adolf, som efterträdde sin far Karl IX år 1611, var den första kung av Vasa-ätten som gick ut i krig för den protestantiska tron och han spelade en avgörande roll under det Trettio-åriga kriget i Tyskland. År 1632 dödades Gustav II Adolf i slaget vid Lützen och efterträddes då av sin endast sex år gamla dotter Kristina, odödliggjord av Greta Garbo i filmen "Drottning Kristina". Axel Oxelstierna som var förmyndarregent under Kristinas uppväxt, fortsatte kriget allierad med fransmännen och invaderade och erövrade delar av Danmark. Vid freden i Westphalen 1648, erhöll Sverige hela Väst-Pommern och fick ett stort handelsinflytande i Tyskland. Efter det regerade sedan drottning Kristina efter eget huvud. Hon var en mycket begåvad, excentrisk och bildad kvinna som för första gången tillförde Stockholm ett anseende som ett internationellt lärdoms- och konstcentrum. Filosofer och musiker samlades vid hennes hov och mycket av den krigiska bilden av den svenska kungamakten hade hon lyckats skingra innan halva seklet hade passerat. Alltid lika excentrisk abdikerade Kristina plötsligt från tronen år 1654, gick över till katolska kyrkan och bosatte sig i Rom där hon stannade till sin död. Hennes kusin Karl X kom i hennes ställe.

Under sina sex år som kung, besegrade Karl X Danmark som oklokt nog under den danske kungen Kristian IV förklarat Sverige krig, och freden gav Sverige de danska provinserna på östra sidan av Öresund — Skåne och Halland. Karl XI som avlöste sin far på tronen 1660, fick på sin lott att förvalta dessa erövringar och samtidigt försöka täcka de enorma kostnader som ett halvt århundrade av krig kostat. Han lyckades delvis genom att sälja de kyrkans egendomar som Gustav Vasa en gång hade beslagtagit men han tvingades också att ingå ett understödsavtal med Frankrike. Som gengäld för flera stora lån slogs Sverige tillsammans med Frankrike mot Brandenburg och mot Danmark och förlorade då alla de områden som Sverige erövrat under trettio-åriga kriget.

År 1697 blev Karl XII kung, endast femton år gammal. Han var den sista svenska kung som regerade under stormaktstiden och han var en mycket färgstark men också historiskt kontroversiell. I början var han mycket framgångsrik under sina krigståg, slog ut Danmark och besegrade ryssarna vid flera stora slag. Efter de segrarna utmanade han turen och prövade krafterna mot ryssarna genom att tränga djupt in på ryskt område åren 1708—9 och gick samma öde till mötes som alla andra fältherrar som pressar försörjningslinjerna för hårt. Hans förlust ledde till en långvarig landsflykt till Turkiet innan han återvände till Sverige och blev slutligen 1718 blev dödad av en kula i kriget mot Norge.

Frihetstiden och den gustavianska epoken

Nu äntligen trädde Stockholm in i de gyllene åren av konst och vetenskap. 1700-talets Sverige såg Linné forma grunderna till den moderna biologin genom att införa det moderna klassificeringssystemet för all världens plantor; Celsius flyttade fram fysikens gränser och konstruerade sin 100-gradiga celsius-termometer; Swedenborg skrev om många av de teoretiska grunderna i det vetenskapliga tänkandet och grundade i nästan samma andetag en ny kyrka. Kungliga Operan grundades av kung Gustav III i slutet av seklet och han grundade också den Svenska Akademin för att uppmuntra svensk kultur och det svenska språket. Sverige blev precis som det varit under drottning Kristinas dagar, en självskriven stormakt vad beträffade det moderna tänkandet och forskningen i det dåtida Europa. Ett föregångsland snarare än en efterföljare av tidens mode. Gustav III skrev pjäser på svenska och var en entusiastisk beskyddare av operan och det var han, som blev dödligt sårad på maskeradbalen och ofrivilligt gav Verdi inspiration till sitt storverk Maskeradbalen.

Gustav IV var endast en blek skugga av sin faders genialitet och år 1809, efter det att Ryssland erövrat Finland efter en överenskommelse mellan tsar Alexander I och Napoleon Bonaparte, blev Gustav IV avsatt av den svenska adeln. Hans släkting Karl XIII sattes på tronen under en ny konstitution som avsevärt ökade riksdagens inflytande. Den nya kungen hade inga barn så riksdagens ständer valde till arvinge av den svenska tronen en av Napoleons generaler, markskalk Jean Baptiste Bernadotte. Genom detta val hoppades riksdagen på att Frankrike skulle hjälpa Sverige att återerövra Finland från Ryssland. Bernadotte som anlände till Sverige 1810 för att ta upp tronen hade 1812 istället förhandlat fram en allians med Ryssland mot sitt hemland Frankrike. Förlusten av Finland kompenserades av förvärvandet av Norge från Danmark som varit i förbund med Frankrike. År 1814 blev Norge förenat med Sverige, en union som varade fram till 1905.

Sverige hade nu utkämpat sitt sista krig. Inte bara för 1800- utan även för 1900-talet. Sedan krigen mot Napoleon har Sverige lyckats bevara freden genom att föra en behärskad men ibland impopulär neutralitetspolitik. Under 1800-talet återhämtade Sverige sig sakta från århundraden av krig och nöd, och en snabbt växande industriell och yrkeskunnig medelklass med liberala och reformvänliga idéer växte fram och blev en maktfaktor inom landet med början i Stockholm. Den andra kungen i ätten Bernadotte — Oskar I, var mottaglig för liberala reformer och uppmuntrade den fria företagsamheten. År 1866, ersattes den gamla riksdagen med sina fyra stånd av en två-kammar riksdag och grunden till Sveriges moderna politiska system var lagt. (Den nuvarande en-kammar riksdagen kom 1971.) 1800-talets sista år var den stora hungersnödens år och dessa år bidrog till att den stora industriella revolutionen sent omsider tog fart i Sverige och större delen av befolkningen gick från arbetet med jorden till industrin.

Genom att Sverige höll sig neutralt under bägge världskrigen, gick Stockholm inte samma öde till mötes som så många europeiska städer gjorde under krigen. Men ändå, på sitt eget sätt, har Stockholm sett större förändringar än städerna i Ruhrområdet. Förändringarna i det svenska samhället har nämligen varit så stora på kortare tid än hundra år, att staden växt enormt fort och mycket av 1800-talets stadskärna svepts åt sidan av dagens moderna arkitektur.

Nu, med den historiska bakgrunden klar, ska vi titta på denna charmiga stad och låt oss starta i Gamla Stan där det hela började.

3. Gamla Stan

Gamla Stan i Stockholm är som vi redan konstaterat belägen på inte bara en ö utan tre. Detta är emellertid något som besökaren inte märker med en gång eftersom Gamla Stan är en av det helaste och mest oförsstörda exemplet på en medeltida stadsbild i Europa. Det faktum att Stockholm inte har blivit våldfört av moderna krig eller blivit utsatt för någon invasion, har bidragit till att bevara detta stadens hjärta orörd och som byggdes redan innan Digerdöden svepte fram över Europa. Enligt den samtida Erikskrönikan, har Gamla Stan byggts mycket rejält och tilltalande. På något sätt har Gamla Stan lyckats behålla balansen mellan boende och affärsverksamhet, för trots att det är väldigt dyrt och följaktligen mycket exklusivt att ha en lägenhet här, så är det mycket folk i rörelse i de gamla kvarteren. Detta märks bland annat på det stora antalet butiker och det stora urvalet på Västerlånggatan som är den stora affärsgatan i Gamla Stan. Västerlånggatan kallas också ibland skämtsamt för "Stockholms längsta affär". Några av husen mellan Västerlånggatan och Österlånggatan visar var muren som en gång omfattade den medeltida staden gick och de husen är nästan lika gamla som staden.

En familj som har flyttat ut från Gamla Stan är den svenska kungafamiljen. Kungliga Slottet som dominerar norra delen av Gamla Stan är inte längre kung Karl XVI och drottning Silvias bostad. Kungafamiljen bor idag på Drottningholms slott. Kungliga slottet i Gamla Stan är faktiskt mer modernt än många av husen omkring för det färdigbyggdes så sent som 1754 på den plats där det gamla slottet Tre Kronor tidigare legat innan det brann under en ombyggnad. Stenresterna från det gamla slottet tippades norr om slottet och formade den höjd som i dag kallas Lejonbacken. Vid dess fot står två brons-lejon som är gjutna av nedsmälta statyer som det en gång så djärva och krigiska Sverige stulit från Kronborgs slott i Danmark. Kungliga slottet är ett magnifikt exempel på 1700-tals arkitektur. Av det gamla slottet är endast norra flygeln kvar efter branden 1697. Slottet är ritat och arbetet påbörjat av Nicodemus Tessin den äldre, som han göra klar exteriören och påbörja arbetet med inredningen innan han avlöstes av sin son Nicodemus Tessin den yngre och sonsonen Karl Gustav Tessin. Kungliga slottet har 612 rum och var tidigare det största slott i världen som var bebott av en kunglig familj. Hela byggnadsarbetet tog mer än sextio år att fullfölja och är ett fantastiskt minnesmärke över en arkitektfamiljs enastående kunnande.

Något som är ovanligt, är att det kungliga slottet är öppet delvis för allmänheten och de flesta besökare i Stockholm anser att slottsbesöket är en av de stora höjdpunkterna under rundturen i staden. I Rikssalen kan man beskåda drottning Kristinas silver-tron och i Skattkammaren nere i valven finns Sveriges kungakrona som användes första gången vid kröningen av Erik XIV år 1561. Bredvid förvaras drottningens krona vilken gjordes åt drottning Lovisa Ulrika och den är prydd med hundratals diamanter. I Slottskyrkan, byggd i rokoko-stil, finns kyrkbänkar som räddades undan förstörelsen i slottet Tre Kronor. Här finns dessutom många, många andra historiska och konstnärliga skatter. Öppen för besökare är även slottsvåningarna som inne-håller många enastående prover på vackra möbler och gobelänger vilka är kända över hela världen. Du kan besöka kung Oskar II och drottning Sofias gemak och flera av gästvåningarna, alla rikt möblerade och dekorerade med en för ögat ena-stående vacker rokokoinredning. Till sist är det värt att notera att det inom slottets murar finns inte mindre än tre av de intressan-taste museerna i denna stad som är fylld av förnämliga museer. Det är slottsmuseet som nere i källarvalven förvarar reliker från slottet Tre Kronor och en mängd föremål från medeltiden; Gustav III:s antikmuseum visar klassiska skulpturer hemförda från Italien av kung Gustav III på 1780-talet, och så finns här Livrustkammaren som är fylld med vapen, rustningar, banér och fält-tecken som har använts av de kungliga. Där finns till och med den häst bevarad som Gustav II Adolf red på när han mötte döden på slaget vid Lützen och här finns den uniform som Karl XII bar när han blev dödligt sårad år 1718. Till och med finns här den kostym som Gustav III bar den kvällen han mördades på Operan. Utanför slottet kan man se vaktavlösningen varje som-mardag strax efter klockan 12.

Rakt över gatan från södra sidan av slottet ligger Storkyrkan som också är Stockholms domkyrka. Detta är, tror man, den äldsta byggnaden i hela Stockholm, med partier från 1200-talet. De flesta kungar i Sverige har krönts i denna kyrka ända fram till det att Gustav V år 1907 tog över tronen och då bestämde att han och kommande kungar ej skulle krönas. Kyrkan används regelbundet och nyttjas ofta vid stora offentliga tilldragelser. Även om Storkyrkan ser obetydlig ut från utsidan, och därför ofta förbigås av besökare, finns det inne i kyrkan en mängd konstskatter och ett fantastiskt altare gjort av svart ebenholtz och som av någon egendomlig anledning kallas för "Silver-altaret". Strax intill stora ingången till kyrkan hänger en av de äldsta mål-ningar över Stockholm som man överhuvudtaget känner till. Den visar den muromgärdade staden tidigt på 1500-talet mitt bland skogiga och obebodda öar. Det mest enastående föremålet i Storkyrkan är dock träskulpturen "Sankt Göran och Draken", utskuren av bildsnidaren Bernt Notkes från Lübeck. Den överlämnades till kyrkan år 1489 av Sten Sture d.ä. för att fira minnet av Sveriges seger över Danmark 1471 och symboliserar de två länderna.

I närheten av Storkyrkan ligger Stortorget, där Stockholms Blodbad som vi tidigare berättat om ägde rum, och här vid torget ligger Stockholms Fondbörs och där möts varje år den Svenska Akademin för att utse Nobelpristagaren i litteratur. De andra fastigheterna är också från medeltiden och av stort intresse, särskilt det höga röda köpmanna-huset från 1600-talet med sin rikt skulpterade port.

Om man följer den smala gränd som kallas för Storkyrkobrinken, mellan dessa vackra historiska och mycket välbevarade hus, kommer man fram till Riddarhustorget, som fått sin berömmelse av fler orsaker. En av de ruskigare är att det var här som Gustav III:s mördare mötte ett ohyggligt slut genom att först nästan bli piskad till döds och därefter halshuggen. Riddarhuset på norra sidan av torget anses av många vara den vackraste byggnaden i Stockholm och här finns den svenska adelns släktvapen samlade. I stora hallen hänger drygt 2.000 vapensköldar och bland dessa också Sven Hedins, den store upptäcktsresanden som 1902 var den siste att bli adlad i Sverige.

Strax bredvid på den lilla Riddarholmen ligger Riddarholmskyrkan, en kyrka med grön kupol och sällsynt tegel samt en mycket ovanlig men karakteristisk gjutjärnspira. Här ligger många av Sveriges kungar begravda. Under sex och ett halvt sekel gravsattes alla kungar, även Gustav II Adolf som förde Sverige till seger i trettio-åriga kriget och Karl XII som dödades i kriget 1718. Han har sedan dess blivit uppgrävd två gånger i fruktlösa försök att utröna huruvida han blev skjuten av fienden eller av sina egna trupper. Den första kung som i kyrkan har sin slutliga viloplats är Magnus Ladulås som dog 1290. Sista kungen var Gustav V som gravsattes 1950. Varje ätt har fått sitt eget gravkor, prytt med kungarnas monogram. Ett annat sevärt hus på Rid-darholmen är det Wrangelska Palatset som en period på 1700-talet var tillfällig residens medan kungliga slottet byggdes. Strax bredvid Riddarhustorget har man en underbar utsikt över Riddarfjärden från kajen där Göta Kanal-båtarna som går till Göte-borg lägger till. Härifrån ser man också Stadshusets imponerande silhuett och Västerbrons imponerande brovalv. Från denna plats får man en bild av Stockholms verkliga karaktär, för det här är en stad där man aldrig är långt från vattnet. Och här på denna plats, kan man känna historiens vingslag, för Gamla Stan är en stadsdel där det förflutna är en del av nuet och där varje hus skulle betraktas som något mycket unikt om det bara legat någon annanstans. Ta en titt på Västerlånggatan, alldeles väster om Stortorget. Det är en lång mjuk rundad affärsgata med enbart hus från medeltiden vilka är bevarade nästan till perfektion. Ingen biltrafik är tillåten på gatan, så inte bara miljön utan också 1400-tals känslan finns här. Sök upp Mårten Trotzigs Gränd, det är den smalaste gatan i Stockholm och som förmodligen kan göra anspråk på att vara den smalaste i Europa. Mårten Trot-zigs Gränd, knappt en meter bred, liknar mer en trappa än en gata och sträcker sig från Prästgatan till Västerlånggatan. I närheten ligger Tyska Brinken med Tyska Kyrkan, vars inredning är i praktfull barockstil från 1600-talet. Vid södra änden av Väster-långgatan ligger Järntorget och på andra sidan av torget börjar Österlånggatan, en annan lång vindlande gata full av konstgallerier och hemslöjdsbutiker. Den mest välkända krogen i Gamla Stan är förmodligen "Den Gylldene Freden" på Österlånggatan 51, döpt efter freden i Nystad 1721 och som äntligen gjorde slut på Karl XII:s krig.

Gamla Stan utforskar man bäst på en slump, varje ny gata eller nytt torg leder fram till en ny upplevelse vad beträffar arki-tektur eller historia i denna fantastiska stad.

Nu hoppar vi raskt över till Skeppsholmen, en ö som är vänd mot havet från Gamla Stan sett. En gång i tiden var Skeppshol-men en stor örlogsbas men får idag liv från en fast förtöjd 1800-tals bark med namnet "af Chapman" som används som van-drarhem. Af Chapman var en framgångsrik skeppsbyggare på 1700-talet med sina rötter i England. Hans skeppsvarv var en gång den största arbetsgivaren här på ön. Idag är Skeppsholmen mest känd för en förnämlig permanent utställning av modern konst — både målningar av varierande häpnadsväckande grad och en säregen utställning av skulpturer.

På vägen från Skeppsholmen passerar vi Blasieholmen, där ett av Skandinaviens mest exklusiva hotell — Grand Hotel, lig-ger. Fasaden ser kanske tråkig ut men insidan är magnifik och bjuder besökaren på ett försklassigt bemötande. På kajen fram-för hotellet ligger båtarna som tar besökaren med ut på någon av alla de rundturer som står till buds på Stockholms oändliga vattenstråk.

Stockholmsbesökaren ska emellertid inte bara fördriva tiden med att beundra och söka efter händelser i det förflutna. Det finns mycket mer att njuta av i det moderna Stockholm så låt oss nu förflytta oss till Norrmalm, den nya stadsdelen.

4. Norrmalm~Stockholms centrum

Precis som Gamla Stan har bevarats i ett nästan perfekt medeltida skick som ett resultat av dagens medvetande om de oer-sättliga värdena som finns där, så har Norrmalm, stadens centrum, blivit helt nybyggd i en modern stil. Gamla gator och hus har blivit totalt — några kallar det hänsynslöst — bortsvepta för att lämna plats åt moderna shopping-centra, höga hotell och stora kontorsbyggnader av glas och betong och alla de hus som behövs för att skapa en modern stadsmiljö. Resultatet här är långt mer lyckat än i många andra europeiska städer som tvingats till återuppbyggnader efter andra världskriget. Planeringen i Stockholm har genomförts strängt målmedvetet. Detta förorsakade många olustkänslor på 60- och 70-talet men har nu åstad-kommit en stad vars design och grundidé är väl samordnad och en stad att vara stolt över.

Många människor som kommer till Stockholm bor i trakterna av Centralstationen där de flesta större hotellen ligger. Framför stationen går några av de viktigaste butiksgatorna i Stockholm, framför andra Klarabergsgatan, Drottninggatan och Kungs-gatan med de lockande varuhusen PUB och Åhléns, men vill man hitta det "nya Stockholm", är det Klarbergsgatan man ska föl-ja för den leder fram till Sergels Torg, stadens nya mittpunkt. Att missa Sergels Torg är omöjligt, mitt på torget står nämligen en enorm glas-obelisk bestående av 80.000 glasbitar och sträcker sig högt upp över den fontän som ligger mitt i en hektisk trafikkarusell. Men där finns mer än obelisken. Det finns ett lägre plan, "Plattan", vilket när det byggdes var tänkt som ett stort shoppingcentrum men som nu har blivit det moderna Stockholms motsvarighet till Londons berömda "Speaker's Corner", en plats där de som är missnöjda med vad som händer och sker i Sverige eller utanför landets gränser, kan göra sina röster hörda. Från detta har en tradition utvecklats så att protesttåg och andra politiska möten ofta äger rum här eller går hit. Från "Plattan" kan man gå in i Kulturhuset som öppnade 1974 och som är ett ofantligt populärt ställe för besökare. Här visas film och video, man kan njuta av konstutställningar och lyssna till musik, se på teater och lyssna på debatter. Kanske bäst av allt, man kan hitta en stol att slå sig ner på, i biblioteket finns bekväma fåtöljer utrustade med hörlurar och utbudet av musik som man kan välja mellan är enormt. Du kan till och med lära dig språk här, det finns avskilda bås i vilka du kan lära dig vilket språk du vill från kassettband. Mången uttröttad vandrare från Stockholms gator har upptäckt fördelarna med en kopp kaffe och en stunds vila och avkoppling i Kulturhuset.

I förbigående kan nämnas, att namnet Sergel gavs åt torget som ett hedersbevis till ett av Sveriges stora skulptörer och konstnärer. Johan Tobias Sergel, 1740—1814, bodde och verkade större delen av sitt vuxna liv i denna del av staden. Hans atelje fanns bevarad ända fram till 60-talet och man tycker kanske att den kunde fått vara kvar som ett minnesmärke men den raserades fullständigt när grävskoporna "härskade" i Stockholms city.

Om man går igenom shopping-centrat fram till Hötorget vid norra änden av "höghusen", fem i rad stora butiks och kontorsfastigheter, kommer man fram till en färgsprakande torgmarknad med blommor, grönsaker och frukt. Tvärs över torget ligger Konserthuset, byggt på 1920-talet, som av ett mirakel överlevde rivningsvågen på 60-talet. Upp till Konserthuset leder en stentrappa som slutar med tio ståtliga pelare. Denna trappa är en av Stockholms mötesplatser för stadens ungdomar, särskilt under sommarmånaderna. Inne i Konserthuset kan man lyssna till Stockholms Filharmoniska Orkester, men det ges många andra konserter av alla sorter, från tidig kammar-musik till den nyaste pop-musiken. Brunnsskulpturen Orpheus framför Konserthusets trappa är ett av den svenska skulptörens Carl Milles mest kända verk.

På väg tillbaka mot Sergels Torg ska vi vika av på Hamngatan som är en annan av de viktigare shoppinggatorna i Stockholm. På denna gata ska man inte missa varuhuset NK, av engelsmän och amerikaner förklarats vara Stockholms motsvarighet till Londons världsberömda Harrod's. I detta helt otroliga varuhus, där det endast finns varor av högsta kvalité, är det sagt att man kan köpa vad som helst bara man har råd. Den vanliga turisten märker dock att det finns bra saker i prisklasser som passar alla men även att bara titta är en upplevelse, svenskarna är mästare på den svåra konsten att smakfullt och säljande göra förnämliga skyltningar både inne i affären och i skyltfönstren. Här på NK börjar man förstå Sveriges och svenskarnas nationalkaraktär — uppskattningen av kvalité. I motsats till engelsmannen som anser att göra fynd är den största prestationen och därför accepterar även medelmåttiga kvalitéer bara priset är lågt, så betalar svenskarna gärna ett högt pris, förutsatt att kvalitén är hög. En svensk affärsman går ofta i betydligt dyrare kläder än sin kollega i England eller Frankrike, men han bär dem i gengäld under längre tid.

Mittemot NK på Hamngatan 27, ligger Sverigehuset, vilket har såväl turistinformation som ett omfattande bibliotek med litteratur om Sverige på de flesta språk. Där finns en restaurang, men som i alla huvudstäder gäller det att se efter om stadens invånare själva går dit innan man själv gynnar stället. Sverigehuset bjuder på en utsikt över Kungsträdgården som för besökaren verkar vara en korsning av park och strandpromenad på en lyxig badort. Här finns massor av blommor och träd, bassänger med fontäner, det finns kaféer och restauranger, en estrad och ett enormt schackspel där spelarna måste gå över brädet för att kunna göra sina drag. Stockholmarna använder Kungsträdgården som ett ställe att umgås på, precis som Boulogne-skogen i Paris och i viss mån Hyde Park i London. På sommaren spelas här badminton och bordtennis, här dansas folkdans och på vintern kan man hyra skridskor. Parken som skapades på 1500-talet för hovet och adeln, sträcker sig från Hamngatan ända fram till Strömmen, den smala men kraftiga vattenström som förenar Mälaren med Östersjön. Ännu är Hamngatans delikatesser inte slut, för på Hamngatan nr 4 ligger ett vackert 1800-tals palats fyllt av helt magnifika konstskatter — det Hallwylska palatset, nu öppet för allmänheten. I inte mindre än sjuttio omsorgsfullt bevarade rum finns det hundratals konstföremål av första klassen. Underbara antika möbler, målningar av den franska och holländska skolan, en otrolig samling av statyetter och många gobelänger. Fortsätter vi ytterligare ett hundratal meter kommer vi fram till Nybroplan där en av världens mest framstående teaterscener finns — Dramaten. När dramatikern Eugene O'Neill avled 1953, ärvde teatern rätten till hans sista pjäser och Dramaten fick därför på 50-talet den stora äran att ge världspremiär på flera stora pjäser, bland annat "Lång dags färd mot natt". Två av århundradets stora filmskådespelerskor, Ingrid Bergman och Greta Garbo, har ett förflutet här.

Vid Kungsträdgårdens södra ände ligger Gustav Adolfs Torg och Kungliga Operan. Operan grundades som vi redan nämnt, av Gustav III år 1773, (det nuvarande operahuset är från 1898). En av världens mest framgångsrikaste sångartister — Birgit Nilsson, har grundlagt sin världskarriär här.

Bortom Norrmalm, bakom Centralstationen, över Stadshusbron till Kungsholmen och vid stranden av Mälaren, ligger det världsberömda Stockholms Stadshus. Det är onekligen en mycket kontroversiell arkitektonisk skapelse. En huskropp med röda noggrant avpassade tegelstenar och grönt tak, kupoler, tornspiror och minareter. Från kortändan reser sig ett massivt fyrkantigt torn vars utformning påminner om de torn som finns på de forngamla slotten i Sverige. Stadshuset är också rikligt dekorerat med en fantastisk blandning av byzantinsk och orientalisk fönsterutformning. Stadshuset färdigställdes 1923 och rymmer idag stadsfullmäktige och är Stockholms stads representationsbyggnad. Om den ovanliga exteriören kommer att stå sig genom tiderna återstår att se, men inredningen är verkligen helt fantastisk. I Blå Hallen (som i själva verket är röd) håller man varje år Nobelpris-banketten. Gyllene Salen är full av fantastiska, livfulla mosaiker. Prinsens Galleri är dekorerad med väggmålningar av den berömde målarprinsen Eugen. Promenerar man omkring i den vackra terrassformade trädgården så finner man statyer av några av Sveriges största personligheter: författaren August Strindberg, konstnären Ernst Josephson och poeten Gustaf Fröding. Alla statyerna gjorda av Carl Eldh. Väster om stadshustornet går en vacker promenadväg som följer strandkanten, Norr Mälarstrand som den kallas, är framför allt till helgerna mycket populär.

5. Djurgården~det glada Stockholm

Om du tar färjan från södra delen av Skeppsbron i Gamla Stan, så får du uppleva en kort men trevlig resa till Djurgården som är en stor, grön och vacker ö som fungerar som oas för Stockkholmaren. Trots att du har storstaden inpå dig är Djurgården en lugn och behaglig plats för en dag utomhus. Ön har fått sitt namn av att den en gång varit kunglig jaktpark och här har de gamla kungarna och prinsarna roat sig med jakt på vildsvin, hjortar och flickor. I dessa mer moderna tider är Djurgården en kombination av strövområden, museer, park, nöjesfält och djurpark i en stor men fortfarande mycket njutbar blandning. Naturligtvis behöver du inte ta färjan för att komma hit. Du kan gå från centrum längs Strandvägen på Östermalm fram till bron som leder över till Djurgården. När du kommit över bron så har du i närheten den mest populära turistattraktionen i Stockholm och samtidigt en bit historia som har lockat hit forskare från hela världen — regalskeppet Vasa. Vasa var då det byggdes världens största fartyg och är nu ett av världens äldsta bevarade fartyg. Vasa byggdes för att bli det slagkraftigaste krigsfartyget i Östersjön. Den tionde augusti 1628 lade Vasa ut för sin jungfruresa framför kungen och under massornas hurrarop. Efter sexhundra meter fångades hon av en kraftig vind. Vatten strömmade in genom de sextiofyra öppna kanonluckorna och skeppet välte över ända. Det sjönk utan vidare ceremonier med femtio sjömän kvar ombord till botten. Endast hennes kanoner, vars tyngd bidragit till att sänka henne bärgades, och Vasa som var mycket generande för kungen glömdes snart bort. I över trehundra år låg hon sedan där på fyrtio meters djup. 1956, under stor uppståndelse, återfanns skeppet på botten och det konstaterades att otroligt nog hade vattnet bevarat skeppet mer eller mindre intakt. En stor bärgningsoperation sattes igång och i maj 1961 lyftes Vasa upp till ytan. Mer än 24.000 föremål har bärgats från skeppet av dykare som fick sålla mer än 40.000 kubikmeter dy och lera under jakten på fartygets utrustning och sjömännens tillhörigheter. Arton kroppar återfanns ombord och på dessa kunde man finna tygbitar från kläder av den typ som bars av sjömän under tidigt 1600-tal. Där fanns också en flaska rom som fortfarande var fullt drickbar. Vasa står i en provisorisk docka men man räknar med att före 1990 ska Vasa åter vara komplett och då flyttas till en permanent plats. Utställningen intill skeppet innehåller väldigt många nära fyrahundra år gamla föremål — mat och dryckeskärl, vapen, kanonkulor, mynt och många, många andra föremål. Vasa är emellertid inte det enda exemplet på svenskt hantverk och svensk historia på Djurgården. Strax bredvid Djurgårdsbron ligger Nordiska Museet som innehåller en ofantlig samling föremål som visar den sociala utvecklingen i Sverige sedan 1500-talet. Där finns exempelvis en unik samling svenska brudklänningar och brudkronor, en fantastisk utställning av gamla tyger och vävnader och en mängd andra föremål av stort intresse. Alldeles bredvid ligger Biologiska Museet. En bit bort, på den yttersta spetsen på Djurgården ligger Waldemarsudde där prins Eugen, "målarprinsen", bodde. Waldermarsudde testamenterades vid prinsens död år 1947 till svenska folket. Här finns en förnämlig samling av svensk konst, huvudsakligen från 1800-talet och ett hundratal målningar av prins Eugen själv. Huset som är mycket vackert och vars magnifika trädgård sträcker sig ner till stranden av Östersjön är värd ett besök bara den. Ett annat museum i närheten är Thielska Galleriet med en stor samling av skandinavisk och fransk konst.

Nära Vasa-museet ligger Gröna Lund, Stockholms nöjespark. Där finns allt som man förväntar sig att hitta på ett sådant ställe men dessutom finns här en stor utomhusscen där många av världens stora artister av alla kategorier uppträtt.

Skansen

Rakt över gatan är ingången till Skansen som samtidigt är nöjespark (måhända något mer sofistikerad än Gröna Lund) och friluftsmuseum. Där finns inte bara konserthall, teater och museer, här finns också ett världsberömt akvarium och terrarium, djurpark och ett stort antal serveringar. Friluftsmuseet omfattar ett stort antal traditionella svenska byggnader från både stad och landsbygd. Väderkvarnar, stugor, lador, herrgårdar, bondgårdar och många fler. Därtill finns här ett stort antal butiker och hantverksbodar från tiden före den industriella revolutionen. Alla dessa byggnader har flyttats hit från olika platser i Sverige, oftast för att rädda dem undan förgängligheten, och de flesta har kvar sin ursprungliga inredning. En vacker liten kyrka finns här också. Kyrkan från Seglora i Västergötland används regelbundet för gudstjänster och kyrkan är en mycket populär bröllopskyrka och det är inte svårt att förstå varför.

Det bästa med Skansen är att verkstäderna inte är livlösa museer utan att dom verkligen används. Här kan man se glasblåsare och bokbindare i arbete, man kan gå in i en gammal affär och handla karameller och det är en mängd olika gamla yrken som utövas här på det gamla sättet. På Skansen finns också en lappkåta och bergbana och hela gator med gamla hus som flyttats hit och som försiktigt renoverats för att återfå det ursprungliga utseendet. Alla dessa byggnader, cirka 150 stycken, fördes hit till Djurgården, för att man på en plats skulle kunna få en samlad bild av den svenska kulturen och livet genom seklerna. När Skansen 1891 skapades av Artur Hazelius var det det första friluftsmuseet av sitt slag och Skansen betraktas fortfarande som en modell för alla dem som kommit efter. Efter Hazelius dagar, har uppskattningen av Skansen ökat enormt för under 1900-talet gjorde Sverige sin dramatiska vändning från landsbygdssamhälle till det moderna tätortssamhället. Skansen är nu mer än någonsin ett minnesmärke över den kultur som snabbt försvann.

På Skansen finns det djur från många olika håll men med tyngdpunkten lagd vid djur från de nordiska områdena. Älgar, hjortar, renar och vargar, björnar, sälar och många andra djur ger besökaren en imponerande bild av det nordiska djurlivet. På barnens egen djurpark "Lill-Skansen", är det massor av smådjur som kaniner, kattungar, griskultingar och andra smådjur som roar barnen. Skansen har vidare Sveriges största akvarium och det har erhållit världsberömmelse genom sin bland annat förnämliga avelsverksamhet. Här finns också kubanska krokodiler och en fantastisk koloni av nattdjur i "Månskenshallen".

Det skulle vara fel att ge intryck av att Djurgården enbart är en ö bestående av museer och nöjesfält. Visserligen är det Vasa och Skansen som de flesta besökarna kommer för, men dessa ställen är bara en del av vad Djurgården kan erbjuda. Tre fjärdedelar av ön är nästan enbart grönområden med få vägar och det är fritt att gå nästan överallt. Det är till de öppna ytorna på Djurgården som många stockholmare söker sig för att rida, promenera, gå på utflykt med en matkorg eller bara sitta ner och se sig omkring för utsikten är väl värd en stunds stillsam beundran.

Invånarna i Stockholm har mer än de vackra vyerna på Djurgården att njuta av, detta är nämligen en stad med en egen skärgård, med tillgång till en av de naturskönaste sjöarna i Europa och en mycket vacker omgivning. Låt oss därför gå utanför stranden och se på några av de platser man kan hinna med att besöka på en dagstur.

6. Stockholms omgivningar och dess Skärgård

Stockholm kan liknas med "korken i hålet" i det smala passet som skiljer Mälaren från Östersjön. Väster om staden ligger Mälaren med hundratals öar och med ett stort antal slott och herresäten utmed stränderna. Öster om staden ligger havet och den unika skärgården med sina 24.000 öar av alla storlekar. Söder om staden ligger landskapet Södermanland fullt av intressanta hus, pittoreska kyrkor och ett vackert jordbrukslandskap. Norrut ligger Uppland, ett av de intressantare landskapen för den som vill se fornminnen från i första hand den nordiska historien. I Uppland finns det nämligen hundratals runstenar, var och en med sin egen historia från vikinga-tiden inristad.

Hagaparken i utkanten av Stockholm är ett stort grönområde för vilket Gustav III hade stora planer som dock omintetgjordes i och med mordet. I Haga slott eller Drottningens paviljong som det egentligen heter växte Sveriges nuvarande kung Karl XVI upp. Haga-paviljongen är betydlig intressantare, ett litet sommar-palats fyllt med de mest underbara möbler och är absolut värt ett besök. Öster om stan ligger Lidingö, en av förorterna, och här bodde och arbetade Carl Milles, Sveriges största skulptör, fram till sin död 1955. Millesgården, hans bostad, är nu museum där hans egna skulpturer och en del andra antika verk visas i en mycket vacker miljö.

Vid Mälaren går den mest sevärda och minnesvärda utflykten till Drottningholms slott, vackert beläget på ön Lovö, en knapp mil från city där den kungliga familjen nu bor. 1600-tals slottet är häpnadsväckande likt franske kungen Ludvig XIV:s slott Versailles, med en mycket vacker regelbunden trädgård i fransk stil, väl planerade rabatter och gräsmattor med mängder av statyer och fontäner och omsorgsfullt planerade stenlagda gångar. I parken ligger också det lilla lustslottet Kina som en gång användes som sommarbostad för kungafamiljen. Kina slott är en blandning av fransk rokoko och det "kineseri" som på 1700-talet var på modet. Slottet Drottningholm byggdes av Nichodemus Tessin d.ä. och hans son som också anlade trädgården. Slottet, som är ett av landets bästa exempel på arkitektur och inredning i barockstil, är rikt utsmyckat. Bredvid slottet ligger den fascinerande Drottningholmsteatern, byggd på 1700-talet för drottning Lovisa Ulrika. Efter hennes död kastade sig Gustav III ivrigt över teatern för att uppfylla sin stora dröm om att skapa en "Gyllene Era" i Sverige. Han använde sig av svenska skådespelare och pjäserna spelades upp på svenska språket. Efter Gustav III:s plötsliga död, hölls inte längre teatern igång utan den föll sakta i glömska. Inte förrän år 1921 "återupptäcktes" teatern som befanns vara i ett mycket gott skick. 1922 var teatern igång igen och för den teaterintresserade är det en fantastisk känsla att i den helt autentiska 1700-tals salongen njuta av föreställningarna.

Mälaren sträcker sig nära tio mil västerut från Drottningholm. Av de många slott som ligger runt Mälaren hör Gripsholms slott till de intressantare. Slottet byggdes på 1300-talet av den politiskt oerhört mäktige Bo Jonsson Grip. Hans makt var så stor att han på egen hand förklarade krig med staten Danzig och den svenske kungen bara hade att foga sig i det för att undvika inbördeskrig. Gripsholm är för evigt förknippat med den svenska historien, här har varit bland annat fängelse och det har tjänat som förvaringsplats åt avsatta kungar och prinsar. Gustav Vasas tre söner som alla ivrigt opponerade sig mot varandra, använde flitigt slottet och två av dem, Johan III och Erik XIV, fängslade varandra här vid olika tillfällen. I dag används slottet för mera fredliga ändamål och det har den största samlingen historiska porträtt i världen med mer än 3.000 nummer. Bland andra det porträtt av Erik XIV som sändes till Elisabeth I av England tillsammans med ett friarbrev. Det hjälpte dock inte utan han fick nej på det frieriet. Staden närmast Gripsholm är Mariefred, en vacker mycket väl bibehållen landsortsstad med kullerstentorg och en mycket vacker kyrka i barockstil.

Skärgården

Öster om Stockholm ut i Östersjön breder skärgården ut sig, tummelplatsen för stockholmarna. Öarna kan delas upp i tre grupper. Den innersta ögruppen består mest av skogs- och jordbruksområden och med många fast bosatta. Mellangruppen längre ut från Stockholm består av mindre öar som varierar kraftigt i storlek. En del av dem är små paradis med vilda blommor och träd och kanske ett eller annat fritidshus; andra är stora nog för att rymma små samhällen och öarna skiljs åt genom små smala sund. Gruppen längst ut, långt ut i Östersjön, består mest av karga obebodda klippor.

En av de intressantaste platserna i skärgården är Sandhamn, ungefär två timmars båtfärd från Stockholm. Sedan 1897 är ön stort seglar-centrum och är varje år startplatsen för tävlingen "Gotland runt" och många andra regattor. På sommartid mångdubblas befolkningen här på Sandhamn.

Närmare Stockholm ligger Vaxholm, en gammal stad med en fästning från 1500-talet som en gång i tiden vaktade inloppet till Stockholm mot plötsliga anfall.

Landskapet Uppland norr om Stockholm har mycket att historiskt intresse att bjuda. Sigtuna, nordväst om Stockholm, vid en smal Mälarvik, tros vara Sveriges äldsta stad och grundad av den första kristna kungen — Olof Skötkonung, tidigt på 1000-talet. En gång i tiden var Sigtuna säte för Sveriges ärkebiskop. Staden är fantastiskt väl bevarad med många hus från 1500- och 1600-talet. Där finns fyra kyrkoruiner vilka ursprungligen byggdes mellan 1060 och 1130. Storgatan i Sigtuna tros vara Sveriges äldsta riktiga gata.

Slottet Skokloster vid Mälaren, ungefär sju mil från Stockholm, kan visa upp en magnifik samling av historiska skatter från Sveriges militära stormaktstid. Det byggdes av Carl Gustaf Wrangel, en av Gustav II Adolfs fältmarskalker under trettio-åriga kriget. I slottet finns mer än hundra rum fyllda med vackra möbler, silverföremål, gobelänger och målningar samt mer än 20.000 sällsynta böcker och handskrifter. Här finns också ett enormt gevär som på sin tid tillhörde drottning Kristina. På Skokloster finns också ett förnämligt motor-museum som bland många rariteter också visar upp en Rolls-Royce flygmotor från ett av de flygplan som deltog i striderna under andra världskriget.

Tillbaka till Stockholm

Sveriges huvudstad Stockholm är med alla sjöarna, öarna och landskapet runt omkring, en otroligt vacker och fängslande stad som har mycket att ge även för den vane resenären. Det finns en lockelse i den svenska historien som genomstrålar hela det svenska samhället och den svenska kulturen. Har du en gång njutit av det vackra Stockholms gästvänlighet vill du komma åter. På få platser är det mer sant än här!

Facing page: the City Hall.

Nästa sida: Stadshuset.

Previous pages: Drottningholm Palace. Above and top right: ships moored along Stadsgarden and (top) South Mälarstrand, with (right and facing page) a view of the old Parliament House and Riddarholmen Church on Riddarholmen. Overleaf: medieval houses on Strandvägen.

Föregående sidor: Drottningholms Slott. Ovan och överst höger: Båtar förtöjda längs Stadsgården och (överst) Söder Mälarstrand med (höger och nästa sida) utsikt över Riddarholmskyrkan på Riddarholmen. Nästa uppslag: Medeltida hus på Strandvägen.

Above: a sightseeing boat on Lake Mälar, (top) Sergel Square, (right) the market in Haymarket Square, (top right) the Old Town, and (facing page) the Royal Dramatic Theatre. Overleaf: (left top) Princes Gallery and (left bottom) the Golden Hall, both in City Hall. (Right top) the Great Church and (right bottom) Kungsträdgården.

Ovan: Rundtursbåt på Mälaren. Överst är Sergels Torg med Hötorget till vänster. Högst upp till höger Gamla Stan och på nästa sida Dramaten. Nästa uppslag till vänster: Prinsens Galleri och Gyllene Salen, båda i Stadshuset. Höger: Storkyrkan och Kungsträdgården.

Below: Drottningholm Palace, (bottom right) City Hall quay, (right) a view from Fjällgatan towards the Old Town (bottom and facing page). Overleaf: boats moored on Riddarfjärden.

Nedan: Drottningholms Slott. Nederst vänster syns Stadshuskajen och till höger utsikt från Fjällgatan mot Gamla Stan (nederst vänster). Nästa uppslag: Båtar förtöjda på Riddarfjärden.

Below: the Royal Palace and (bottom) Molins Fountain, which stands at the Opera House (facing page top). Facing page bottom: the Old Town, with (bottom left and overleaf) Skeppsbron Quay.

Nedan: Kungliga Slottet och (nederst) Molins fontän som står vid Operan (överst nästa sida). Nästa sida: Gamla Stan med Skeppsbron (nederst och nästa uppslag).

These pages: views of the Old Town, from Skeppsholm Bridge (facing page bottom), and with the 100-year-old sailing ship *Chapman* in the foreground (facing page top). Overleaf: views of Stockholm, featuring Riddarholmen (right top) and City Hall quay (left top).

Dessa sidor: Utsikt över Gamla Stan från Skeppsholmsbron (nästa sida nederst) och med det 100-åriga segelfartyget "af Chapman" i förgrunden (överst nästa sida). Nästa uppslag: Bilder från Stockholm med Riddarholmen (höger överst) och Stadshuskajen (vänster överst).

These pages: medieval buildings on Strandvägen overlook boats moored on the Nybroviken. Overleaf: shoppers on Sergel St, in the city's modern centre.

Dessa sidor: Medeltida byggnader på Strandvägen med båtar förtöjda vid Nybroviken i förgrunden. Nästa uppslag: Flanörer på Sergelgatan i stadens moderna shopping-kvarter.

Situated amid fine gardens, the splendid Nordic Museum (these pages) contains exhibits representing aspects of Scandinavian life and culture since 1500.

Vackert beläget bland välskötta planteringar ligger Nordiska Museet och där kan man följa den sociala och kulturella utvecklingen i Skandinavien från 1500-talet fram till idag.

These pages: the Old Town, featuring (top) the Great Church, and (facing page) Kopman St. Overleaf: (left top) Sergel Square, (left bottom) Sergel St, (right bottom) Kungsträdgarden, and (right top) the famous N.K. department store on Hamngatan.

Dessa sidor: Gamla Stan med Stokyrkan (högst upp) och Köpmangatan (nästa sida). Nästa uppslag: Sergels Torg (vänster överst) och Kungsträdgården (höger nederst). Höger överst: Det välkända varuhuset NK på Hamngatan.

Top: the Royal Palace, (left) the German Church and (remaining pictures) the Great Church on Slottsbacken. Overleaf: fountains play in Sergel Square (left, and right top) and Kungsträdgarden (right bottom).

Kungliga Slottet överst till vänster Tyska Kyrkan. Övriga bilder: Storkyrkan vid Slottsbacken. Nästa uppslag: Spelande fontäner på Sergels Torg (vänster och höger överst) och Kungsträdgården (nederst vänster).

In the Old Town (left), guards (bottom and bottom left), coachmen (facing page top) and military bands (remaining pictures) parade outside the Royal Palace.

Bilder från Gamla Stan med högvakten och vaktavlösningen framför Kungliga Slottet.

Left and facing page top right: sightseeing boats. The warship *Wasa* (overleaf), sunk in Stockholm harbour in 1628, now lies preserved in the Wasa Museum (facing page bottom left). Nearby are the Museum Ships (remaining pictures).

Vänster och nästa sida överst höger: Rundtursbåtar. Nästa Uppslag: Krigsfartyget Wasa sjonk 1628 i Stockholms Ström men ligger nu bevarat på Wasa-museet. Bredvid ligger flera andra musei-båtar (övriga bilder).

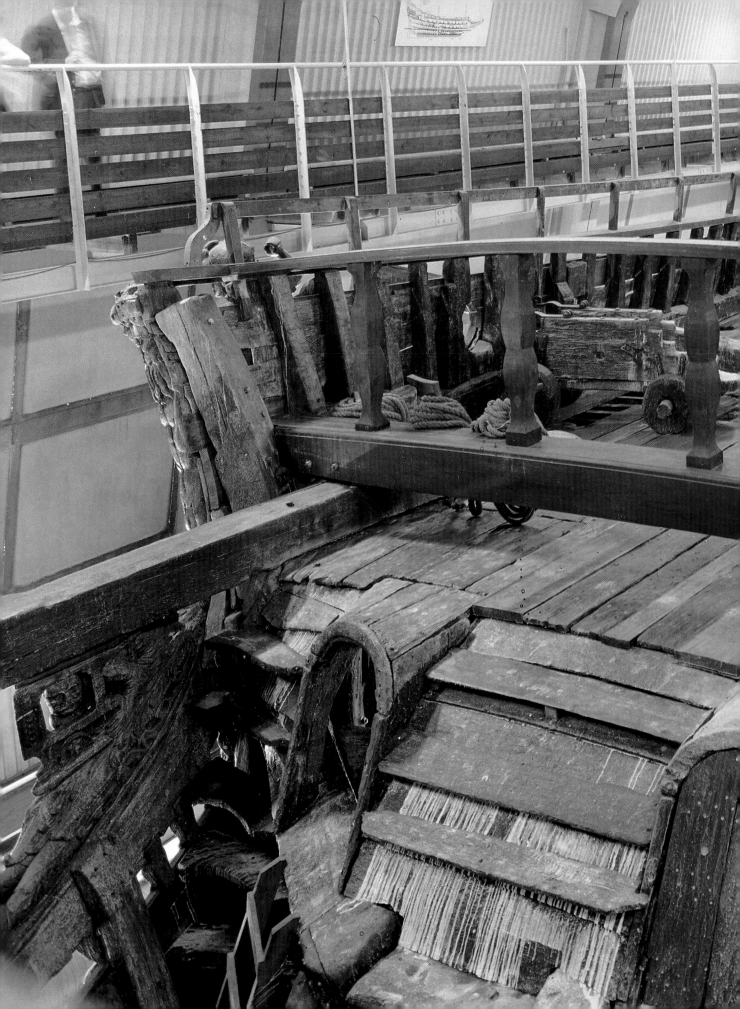

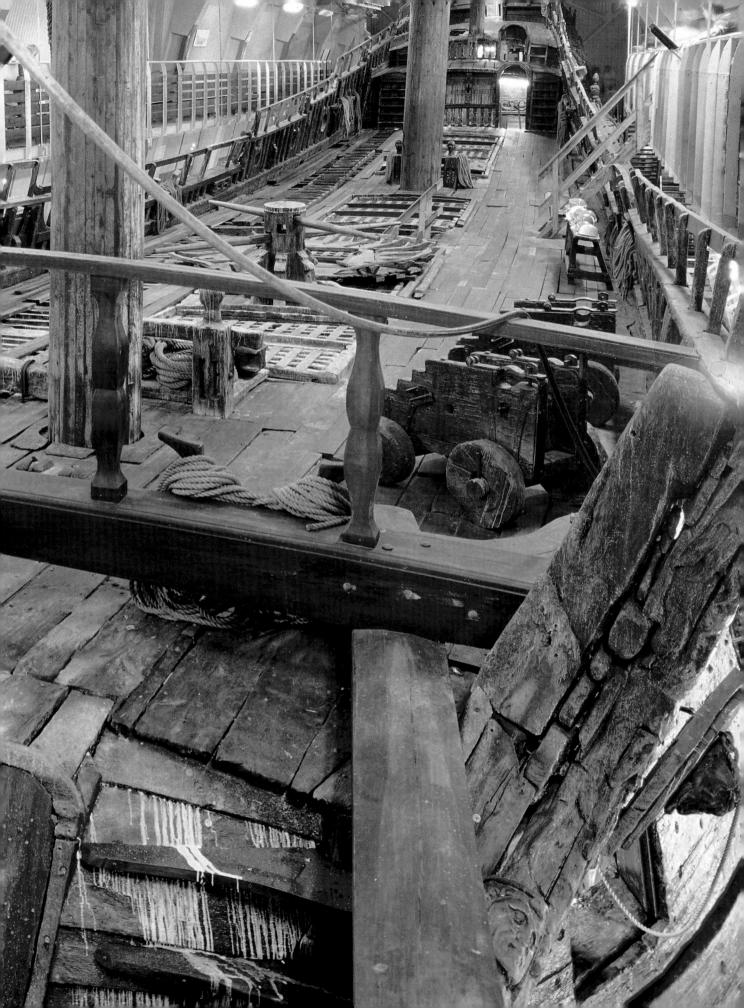

The splendid Royal Library (above) was built in 1870-7 and is situated in the lovely Humlegarden. Remaining pictures: boats on the Nybroviken by Strandvägen.

Det förnämliga Kungliga Biblioteket (ovan) byggdes på 1870-talet och ligger i den vackra Humlegården. Övriga bilder: Båtar på Nybroviken vid Strandvägen.

Above and left: statuary in picturesque Djurgärden (top), from which Strandvägen (facing page) can be seen.

Ovan och till vänster: Staty på det pittoreska Djurgården (högst upp) varifrån man kan se Strandvägen (nästa sida).

Previous pages: the spectacular glass obelisk "Kristal", in Sergel Square. These pages: views of Stockholm featuring (left) City Hall and (top) "The Song", a statue by Carl Eld on City Hall quay.

Föregående sidor: Den imponerande glas-obelisken på Sergels Torg. Dessa sidor: Bilder från Stockholm med Stadshuset till vänster och överst "Sången" en staty av Carl Eldh placerad på Stadhuskajen.

Previous pages: views of Stockholm, "the city on the water" which attracts scores of sailing enthusiasts as well as fishermen to its busy marinas and quays (these pages).

Föregående sidor: Bilder från Stockholm "Staden på vattnet", som lockar segelentusiaster såväl som fiskare till de livliga småbåtshamnarna och kajerna i staden.

Above and facing page: sightseeing ferries, (top) barges and boats moored by Mariahissen, overlooked by fine houses on the cliffs of the Southern Island, and (left) City Hall.

Ovan och nästa sida: Djurgårdsfärjor, skutor och andra båtar förtöjda vid Mariahissen med vackra hus på Söders höjder i bakgrunden och (vänster) stadshuset.

These pages: views of Stockholm featuring (right) the National Museum of Fine Art, (top) Carl Eld's "The Song", and (facing page top) the *Chapman* at Skeppsholmen.

Dessa sidor: Bilder från Stockholm med (höger) Nationalmuseum, Carl Eldhs staty "Sången" (överst) och (nästa sida) fartyget "af Chapman" vid Skeppsholmen.

Previous pages: (right top) Djurgards Bridge, which leads to Strandvägen and Nybrohamnen (remaining pictures). Top: bridges over Norrström, (above) Sergel Square, (left), City Hall and (facing page) the Drottning St. shopping mall.

Föregående sidor: Djurgårdsbron (höger högst upp) som leder till Strandvägen och Nybroviken (övriga bilder). Denna sida: Broar över Norrström (överst), Sergels Torg (ovan), Stadshuset (vänster) och på nästa sida Drottninggatans shopping-kvarter.

PANTA REI
PLYMOUTH

Previous pages: (left) the Houses of Nobles, and (right) the German Church. These pages: views of the city including (right) Norrström, and (facing page top) the Grand Hotel.

Föregående sidor: Riddarhuset (vänster) och Tyska Kyrkan (höger). Dessa sidor: Bilder över stan med Norrström (höger) och Grand Hotell (överst nästa sida).

Left: Strömm Bridge and the Blasieholmen seen from Strömparterren, and (remaining pictures) Strandvägen leading to Nybroplan (facing page). Overleaf: a view of the city from the top of Katarina Lift at Slussen.

Vänster: Strömbron och Blasieholmen sedd från Strömparterren och (övriga bilder) Strandvägen som leder fram till Nybroplan (nästa sida). Nästa uppslag: Utsikt över staden från toppen av Katarinahissen vid Slussen.

Right: the Royal Opera seen from Strömparterren, and (remaining pictures) various sailing craft, including the *Gustaf af Klint* (above), the floating youth hostel.

Höger: Operan sedd från Strömparterren och (övriga bilder) olika segelfartyg inklusive det flytande ungdomshärbärget "Gustaf av Klint".

Norrbro (top) spans Norrströmm and leads to Gustav Adolphs Torg. Above: the National Museum of Fine Art and (remaining pictures) views from Skeppsholmen. Overleaf: (left top) the Grand Hotel, (left bottom) the Old Town and (right) aerial views of the city.

Norrbro (överst) går över Norrström och leder till Gustav Adolfs Torg. Ovan: Nationalmuseum och utsikt från Skeppsholmen. Nästa uppslag: Grand Hotell (vänster överst) och Gamla Stan (nedanför) och flygbilder över stan (höger).

Right: public sculpture on Riddarholmen with City Hall beyond, and (remaining pictures) colourful ships at anchor.

Höger: Skulptur på Riddarholmen med Stadshuset i bakgrunden och (övriga bilder) färggranna båtar för ankar.

Top: amusements on Djurgarden, with the 155-metre-high
Kaknäs Tower on the horizon, (right) looking through City
Hall's colonnade, and (remaining pictures) sailing craft.

Högst upp: Förströelse på Djurgården med det 155 meter höga
Kaknästornet vid horisonten. Utsikt genom Stadshusets
kolonner (höger) o segelbåtar på Stockholms många vatten.

Some 150 authentic old buildings form the core of Skansen
Open-Air Museum (these pages), which recalls Swedish social
history over several eras.

Cirka 150 olika autentiska byggnader bildar stommen i
friluftsmuseet Skansen (dessa sidor) som skildrar det svenska
livet genom åtskilliga århundraden.

Reconstructed old wooden houses and barns (these pages), some with traditional turf roofs (below and bottom right), were brought to Skansen from all over the countryside.

Återuppförda gamla trähus och uthus (dessa sidor), några med traditionellt halmtak (nedan och höger längst ner), har förts till Skansen från hela landet för att bevaras för framtiden.

PALATIVM
ORDINIS
EQVESTRIS·

· CLARIS · MAIORVM · EXEMPLIS ·

Above: Parliament House, (top) Stortorget in the Old Town, (left) Blasieholmshamnen overlooked by St Jacob's Church, (facing page) the House of Nobles and (overleaf) magnificent Drottningholm Palace.

Ovan: Riksdagshuset. Högst upp: Stortorget i Gamla Stan. Vänster: Blasieholmshamnen med Jakobs kyrka i bakgrunden. Nästa sida: Riddarhuset Nästa uppslag: det magnifika Drottningholm slott där kungafamiljen nu bor.

As well as genuine old houses (right and facing page) Skansen boasts a very fine zoo (remaining pictures).

På Skansen finns det såväl genuina gamla hus (till höger och nästa sida) samt en mycket förnämlig djurpark (övriga bilder).

Some of the city's most fashionable shops and cafés are to be found in the Old Town (these pages). Overleaf: City Hall and Riddarholmen Church spire rise up against the dawn sky. Following page: St Jacob's Church and the Opera House.

Några av stadens mest exklusiva affärer och serveringar finns i Gamla Stan (dessa sidor). Nästa uppslag: Stadshuset och Riddarholmkyrkans spira reser sig upp mot gryningsljuset. Nästa sida: Jakobs kyrka och Operan.